Silvia Adela Kohan

COMO ESCREVER DIÁLOGOS

A arte de desenvolver o diálogo no romance e no conto

Guias do Escritor

Silvia Adela Kohan

Tradução: Gabriel Perissé

COMO ESCREVER DIÁLOGOS

A arte de desenvolver o diálogo no romance e no conto

2ª edição
3ª reimpressão

Título original: *Cómo escribir diálogos*

EDITORA RESPONSÁVEL
Rejane Dias

REVISÃO TÉCNICA
Cristina Antunes

REVISÃO
Ana Carolina Lins

PROJETO GRÁFICO DE CAPA
Diogo Droschi

DIAGRAMAÇÃO
Patrícia De Michelis

Dados Internacionais de Catalogação na Publicação (CIP)
(Câmara Brasileira do Livro, SP, Brasil)

Kohan, Silvia Adela
Como escrever diálogos : a arte de desenvolver o diálogo no romance e no conto / Silvia Adela Kohan ; tradução Gabriel Perissé. – 2. ed.; 3. reimp. – Belo Horizonte : Editora Gutenberg, 2022. – (Guias do Escritor ; 1)

Título original: Cómo escribir diálogos.
Bibliografia
ISBN 978-85-89239-88-2

1. Contos - Arte de escrever 2. Escrita criativa 3. Romances - Arte de escrever I. Título. II. Série.

11-01542 CDD-809

Índices para catálogo sistemático:
1. Arte de escrever diálogos : Retórica 809

A **GUTENBERG** É UMA EDITORA DO **GRUPO AUTÊNTICA**

São Paulo
Av. Paulista, 2.073 . Conjunto Nacional
Horsa I . Sala 309 . Cerqueira César
01311-940 . São Paulo . SP
Tel.: (55 11) 3034 4468

Belo Horizonte
Rua Carlos Turner, 420
Silveira . 31140-520
Belo Horizonte . MG
Tel.: (55 31) 3465 4500

www.editoragutenberg.com.br
SAC: atendimentoleitor@grupoautentica.com.br

Sumário

Introdução

Somos seres que falam. Por isso é uma tentação poder ocupar o lugar de outras pessoas e escrever o que dizem no vazio da página. Neste sentido, escrever diálogos é entrar em contato com o que há de mais genuíno no ser humano.

No entanto, devemos tomar cuidado. Se fizermos seres falarem, suas palavras deverão ter sentido e equilíbrio para que sejam ouvidas adequadamente. Apresentar um personagem falando de determinada forma faz o leitor imaginar um modo de existir concreto. Se o autor for bastante habilidoso, nem precisará utilizar descrições físicas ou explicar o modo de pensar de seus personagens. O diálogo, como parte da trama do conto ou do romance, será suficientemente revelador.

Certamente, precisamos saber com clareza o que pretendemos com um diálogo. Para isso, é fundamental conhecer profundamente suas variações, suas funções e as diferentes estratégias disponíveis.

Neste livro, vamos aprender quando convém empregar o diálogo num romance ou em outros tipos de relato e como podemos trabalhar as palavras e os enunciados para obter um diálogo eficaz.

1.

O diálogo narrativo

O diálogo bem construído é uma das formas narrativas mais convincentes, porque aparentemente não apresenta intermediários, e uma das mais sugestivas, por provocar a curiosidade do leitor. Permite que "escutemos" as vozes dos personagens e assistamos a uma conversa sem que seus protagonistas percebam nossa presença. É como estar entre eles sem ser visto.

Como estratégia literária, o diálogo é uma das mais eficazes e, ao mesmo tempo, uma das mais difíceis de se pôr em prática. Graças ao diálogo, os personagens expressam o que só esta técnica possibilita. No conto, o diálogo é uma ferramenta que ajuda a definir o personagem. No romance, contribui para o dinamismo geral da obra. Além disso, pelo que os falantes dizem, revela como são os interlocutores e oferece dados sobre os outros personagens e sobre o ambiente em que a história se desenvolve.

Quando lemos um bom diálogo, acreditamos que aquelas vozes pertencem a pessoas reais, sempre e quando as vozes estiverem bem diferenciadas entre si, numa entonação adequada e transmitindo informações precisas. Neste caso, a conclusão é a seguinte: o personagem fala e, por isso, existe.

DEFINIÇÃO

A palavra "diálogo" provém do grego *diálogos*, que equivale a "conversa". É o intercâmbio discursivo entre dois ou mais personagens que falam alternadamente, ora como emissores, ora como receptores, emitindo suas mensagens. Em outras palavras, num discurso direto, o diálogo exige a réplica de um interlocutor explícito (ou implícito, em certos usos modernos do diálogo). É a forma narrativa que apresenta a maior coincidência entre o que se diz e sua duração temporal. No entanto, como imitação da linguagem conversacional que sai da boca dos personagens, não é imitação literal, mas fruto de uma elaboração. O diálogo pode harmonizar-se com a narração e a descrição.

Historicamente, o diálogo é a base do gênero teatral, mas pode ser utilizado em qualquer tipo de ficção narrativa como um mecanismo que elimina ou limita a presença do narrador, potencializando a presença do personagem.

CARACTERÍSTICAS

O diálogo apresenta os acontecimentos mediante as vozes dos personagens. Trata-se de uma forma de narração vinculada ao cinema e ao teatro. Em sentido estrito, o diálogo é a defrontação (podendo haver ou não convergências) entre duas visões de mundo (ou dois interlocutores) que participam de uma situação ou de uma cena. Ambos os interlocutores devem ser necessários e se complementarem para constituir a estrutura do diálogo, fazendo com que a trama progrida.

As principais características e vantagens do diálogo são as seguintes:

- *O narrador desaparece e os personagens falam por conta própria.*
- *São os personagens que informam sobre a situação, o conflito e a ação do relato.*
- *O leitor conhece os personagens diretamente, ao ler suas palavras e perceber suas formas de expressão.*
- *É a forma narrativa que mais se aproxima do leitor.*

CONSTITUIÇÃO

O diálogo é uma estrutura aberta, inconclusa, constituída por:

a. **Discursos:** são as palavras diretas dos personagens, que podem ser dois (um falante e um interlocutor) ou mais.
b. **Incisos:** são esclarecimentos feitos pelo narrador. Vêm depois de um travessão e servem para situar os personagens na cena, para indicar reações provenientes de seu pensamento, de seus sentimentos ou de sua consciência, ou para registrar um gesto ou ação do personagem enquanto está falando.

Exemplo:

— Recuso-me a vê-lo	— disse ele, batendo a porta.
discurso	**inciso**

CONDIÇÕES NECESSÁRIAS

Há uma série de condições para produzir diálogos eficazes. São as seguintes:

Intencionalidade

Intencionalidade é a motivação que impulsiona uma frase. Tudo o que nossos personagens dizem nasce de uma determinada intencionalidade. Quando falam, dizem algo mais do que estão falando. Estão acrescentando um aspecto à sua história, uma informação que nos fará acompanhar o momento de conflito pelo qual eventualmente estejam atravessando. Suas palavras estão conectadas à sua personalidade, ao contexto e à situação vivida e procuram provocar uma alteração no curso dos acontecimentos.

As palavras que colocamos na boca de nossos personagens devem ter uma justificativa. Se alguém, por exemplo, diz "estou com dor de cabeça", sua intenção poderia ser: apresentar-se como um ser debilitado, chamar a atenção de outro personagem para que modifique sua relação, não participar de uma cena, antecipar um determinado desenlace, denunciar um ambiente contaminado, etc. Se diz "estou com dor de cabeça, eu juro", está acrescentando uma ênfase cuja intenção é demonstrar que o interlocutor desconfia de que essa dor seja verdadeira.

Precisão

As palavras que saem da boca de nossos personagens devem ser cuidadosamente escolhidas. Esse cuidado decorre da busca de exatidão — a palavra empregada deve ter um significado preciso —, da quantidade — não devemos multiplicar as palavras desnecessariamente — e da preocupação com a riqueza lexical — convém recorrer ao dicionário de sinônimos e não nos restringirmos ao território empobrecido de palavras repetidas ou desgastadas pelo uso.

Naturalidade

Deve soar de modo natural. Mais do que ler um diálogo, o leitor escuta mentalmente a conversa dos personagens. Por que são tão bons os diálogos escritos por Ernest Hemingway ou Isaac Asimov? É que não parecem forçados, são absolutamente convincentes e não têm rodeios e rebuscamentos. A naturalidade é sua característica primordial.

Fluidez

O diálogo deve fluir com ritmo próprio, como num poema. A perfeita adequação do coloquial ao literário deve ser complementada com uma perfeita adequação literária ao coloquial. Esse ritmo não tem a mesma velocidade em todos os diálogos. A fluidez está profundamente ligada ao tipo de situação representada. Raymond Chandler trabalhava esse aspecto com maestria. Uma das situações mais rápidas e mais ágeis é a do interrogatório do relato policial, que pressupõe grande economia de linguagem, pois o interrogado costuma responder com fragmentos do que sabe.

Coerência

Devemos estar atentos à caracterização de nossos personagens para que o diálogo seja coerente. Se eles são camponeses, poderemos recorrer à linguagem rural, como faz Miguel Delibes; se imaginamos um personagem com tendência à dispersão, será preciso incluir digressões em sua fala. Seja qual for o lugar que ocupem no mundo narrado, sejam protagonistas ou figurantes, o importante é conseguir que os personagens se expressem de acordo com sua personalidade. Um apresentador de TV não pode falar como um lutador de boxe, por exemplo, se queremos que o diálogo traga informações sobre as características do personagem.

Também é necessário levar em conta a carga emocional que está em jogo. O personagem deverá usar as formas verbais adequadas para aliviar suas tensões ou reforçar uma ideia. Se estiver morrendo de ódio, não caberá um "que pena!" ou um "veja bem!". Reações incoerentes com seu estado de ânimo enviarão uma mensagem ambígua para o leitor.

Poder de sugestão

Durante a troca de discursos entre dois ou mais interlocutores, o diálogo deve criar uma incógnita, que podemos traduzir como capacidade de revelação. Escritores minimalistas como Raymond Carver são mestres nisso. Henry James, por exemplo, emprega o diálogo para dar a conhecer o *quid* do romance, sem o declarar diretamente.

Além disso, o diálogo deve ser significativo, revelando a personalidade do falante.

Verismo

Considera-se que o diálogo representa de modo claríssimo a identidade entre o tempo da narração e o tempo do discurso, embora haja casos em que o diálogo pareça acontecer mais rapidamente do que na realidade e em outros dê a sensação de durar mais tempo do que seria possível, prejudicando sua veracidade. No primeiro caso, o leitor terá de deduzir por si mesmo o que falta à história, à medida que ela for progredindo. No segundo caso, terá de pular algumas linhas do diálogo para tomar ciência do que está acontecendo. Um diálogo veraz por excelência foi desenvolvido por Miguel de Cervantes, em *Dom Quixote de la Mancha*.

Interação

As palavras que um personagem diz dependem, crescem, alteram-se em relação direta com o discurso de outro personagem. São igualmente importantes os discursos do falante e do interlocutor. A fala de um depende da do outro. Concordamos com o linguista Oswald Ducrot quando ele escreve:

> O exame dos diálogos efetivos demonstra que o encadeamento das réplicas apoia-se menos no que o locutor "disse" do que nas intenções que, segundo o destinatário, teriam levado o outro a dizer o que disse. À frase "parece que este filme é interessante" (**p**) responde-se com "eu já fui ver" (**q**) porque se supõe, por exemplo, que o locutor disse **p** para propor que os dois fossem ver o filme, e a resposta de **q** dá um motivo para não ir.

Portanto, devemos estabelecer um equilíbrio entre os discursos dos interlocutores. A falta de conexão entre eles origina uma sucessão de monólogos no lugar de um diálogo.

Continuidade

A continuidade e o progresso narrativo caminham juntos. Cada frase é uma mensagem enviada pelo falante ao ouvinte; a resposta deste último surge como consequência da mensagem, e esta resposta, por sua vez, afetará aquele que antes falou e a quem falará depois, e assim por diante. O estímulo entre uns e outros é recíproco e constitui a continuidade narrativa.

Devemos estabelecer um fio condutor entre os diálogos, explorando dois veios principais:

1. Os estados de ânimo dos personagens e suas variações desenham uma determinada curva.
2. É preciso saber com clareza em que cena e em que momento dessa cena se darão os pontos culminantes, o clímax, que devem ser enfatizados de modo conveniente.

> Um diálogo pode ser ambíguo (aludindo a algo que não se expressa diretamente), mas jamais confuso. Por outro lado, se não houver intencionalidade, evitemos reforços explicativos.

FUNÇÕES DO DIÁLOGO

O diálogo é uma forma de apresentação e indica a relação entre os personagens; portanto, são várias as funções que desempenha numa narrativa. Não é obrigatório que desempenhe todas, mas, ao lançar mão do diálogo, podemos recorrer a uma ou a várias dessas funções. Basicamente, são as seguintes:

Configura cenas

Apresenta com vivacidade e imediatez uma cena do conflito ou da situação, em vez do relato do narrador, no papel de mediador. O diálogo, por exemplo, poderá contribuir para aumentar o suspense, ao pôr o leitor em contato direto com os atores do drama, num momento de perigo, de inquietação, de ruptura com a normalidade. Os próprios personagens contarão o que estiver acontecendo e o que estiverem sentindo.

Traz informações

Se, em vez de um fragmento narrativo, transcrevemos um diálogo entre personagens, é porque desejamos contar algo de modo mais rápido e direto. À medida que as falas se sucedem, percebe-se que os personagens (e o leitor) sabem alguma coisa de interesse para a história.

Um recurso muito comum entre alguns escritores do passado era, em vez de mostrar a ação, colocar o leitor diante de dois personagens, um deles assistindo à ação, e o outro não. O primeiro relata ao segundo o que está acontecendo. Esse recurso era usado no teatro, pois não se podia colocar no palco dois exércitos, por exemplo, e então um criado, do alto de uma torre, contava ao seu senhor o que estava acontecendo no campo de batalha.

Recurso semelhante é utilizar um diálogo para que o leitor tome conhecimento de acontecimentos que se deram antes que o relato começasse. Não há nenhum perigo nessa estratégia quando um dos interlocutores desconhece o que o outro está contando. Mas se todos já estão cientes dos fatos, convém ir em frente e desenvolver o diálogo diretamente, insinuando alguns detalhes que permitam adivinhar o restante da história.

A solução pode ser dar a informação aos poucos, como em pinceladas, ou inserir, na metade do relato, a carta de um informante, ou o fragmento de um suposto livro onde são comentados esses fatos, como faz Isaac Asimov com as citações da *Enciclopédia galáctica*.

Faz parte da trama do conto ou do capítulo de um romance

Os diferentes discursos, a forma, o momento e o lugar em que os personagens falam influenciam e provocam determinados efeitos na constituição e articulação do argumento.

Define um personagem

É um recurso mais eficiente do que qualquer outro para dar vida aos personagens. Apresenta de forma clara e facilmente assimilável os aspectos que se deseja destacar. Mostra o personagem como uma entidade completa. Mostra algo sobre seu passado, suas ações atuais e suas futuras esperanças.

Age como fio condutor do acontecimento principal

Os personagens se transformam ao longo do diálogo, e essa mudança se manifesta em sua fala. Por exemplo, no início o personagem teme o inimigo, mas no final sabe como livrar-se e dominá-lo. Em *A montanha mágica*, de Thomas Mann (1875-1855), podemos seguir o processo de busca do protagonista graças às conversas dos personagens.

Indica os nós argumentativos

Condensa certos nós do relato quando a informação principal está tão diluída ao longo de tantas páginas que o leitor já os perdeu de vista. Mediante o diálogo, estes pontos podem ser reforçados de um modo sintético e claro.

Substitui a ação ou a representa

Um bom diálogo pode emocionar tanto quanto um combate ou uma cena de amor. Quem trabalha muito bem com esse recurso é Raymond Chandler, cujos personagens utilizam o diálogo como arma quando não têm uma à mão ou não podem usar o revólver. As réplicas e tréplicas do detetive Marlowe, quase ao ritmo de uma metralhadora, são sempre engenhosas e vibrantes.

Impulsiona o relato

Se o relato se torna lento ou muito denso em determinado ponto, ou a voz narrativa empregada começa a se tornar insustentável depois de muitas páginas, com o risco da monotonia, recorrer ao diálogo é uma forma de superar obstáculos, sempre e quando houver motivos para que os personagens "falem". Em *Dom Quixote de la Mancha*, a monotonia que poderia surgir na leitura por causa do contínuo peregrinar de Dom Quixote e Sancho Pança é contornada pelo diálogo. Por vezes, temos um diálogo lento, com longos discursos, outras vezes, mais veloz, pontuado com interrupções e perguntas.

Poupa nossa vista de um texto cansativo

Trata-se de um problema relativo ao aspecto visual da página, ao jogo entre letras e espaços em branco, que também deve ser levado em conta de acordo com as características do romance que estivermos escrevendo.

Complementa uma ação

Como complemento de uma ação, o diálogo é útil para muitas coisas, entre elas:

- *Marcar o ritmo da ação (acelerando ou retardando).*
- *Estabelecer um nível dramático mais ou menos intenso.*
- *Tornar o agente de ação odioso ou amável.*
- *Provocar tensão ou tranquilidade no leitor: criar todo tipo de emoções, sensações e opiniões, atemorizando, aterrorizando, bajulando, convencendo, etc.*

Oferece pistas ao leitor

Previne, promete, antecipa, semeia indícios que mantêm viva a curiosidade do leitor, tornando-o cúmplice de situações às quais "assiste".

> Devemos saber com clareza o que esperamos do diálogo e como se realizará. O diálogo pode atuar como narrador, definir os personagens e os ambientes, tudo ao mesmo tempo. Também devemos definir os recursos formais que nos ajudarão a atingir esses objetivos.

OUTRAS OPERAÇÕES QUE O DIÁLOGO PERMITE

Não devemos recorrer ao diálogo como solução fácil ou estratégia oportunista. Certamente as palavras dos personagens "em voz alta" oferecem muitas possibilidades, e de modo imediato, mas a atração que o diálogo exerce deve estar associada a um motivo claro para que seja empregado.

E quais são estas possibilidades? Com que objetivo podemos escolher o diálogo como forma de narrar nossa história? Vejamos alguns deles:

Alterar o ritmo num romance

Depois dos parágrafos descritivos ou de uma longa exposição de ações, introduzir o diálogo permitirá recapturar a atenção do leitor.

Revelar algo através dos discursos

Os momentos-chave do relato, quando se desenvolvem os nós argumentativos, podem concentrar-se no diálogo.

Tornar uma informação verossímil

Certos dados que poderiam parecer confusos na voz de um narrador, tornam-se mais leves quando ditos por um ou mais personagens.

Destacar personagens

São estratégias válidas criar certa familiaridade entre alguns personagens e não entre outros, no mesmo romance, ou fazer com que falem aqueles que queremos destacar.

Fazer a ação progredir

Apresentado com vivacidade, o diálogo é um dos principais caminhos para fazer a ação narrativa avançar. A boa interação entre os discursos dos personagens facilita o dinamismo da história.

Articular a estrutura

Escritores adotam o diálogo de diferentes modos para configurar num ou noutro sentido a estrutura do conjunto, bem como para criar algum efeito. Vejamos como:

a. No início.
Abrir um relato, um conto ou um capítulo de romance com um breve diálogo pode criar um interesse maior sobre o que acontecerá depois com esses "seres" que "falaram", desde que

as palavras ditas tenham força suficiente ou densidade.
Exemplo:
— É o momento de acreditar que ouço passos no corredor — disse consigo Bernard.
(André Gide, *Os moedeiros falsos*)[1]

b. No final.
Finalizar o relato com umas linhas de diálogo é uma forma de tornar o leitor participante, introduzi-lo na situação e provocar-lhe o desejo de dar uma opinião.
Exemplo:
— Então... chega de conversa! E agora vamos ver no caminho que nome daremos ao poço, à horta e ao cachorro que tenho pensado em comprar. E também quero que você me conte como escapou da prisão e muitas outras coisas da vida do grande Faroni, coisas que sempre quis saber. Por exemplo, qual era seu prato favorito, e se usava ou não camiseta. Vamos lá?
— Em frente! — gritou Gregório, e os dois saíram juntos para a rua.
(Luís Landero, *Jogos da idade tardia*)*

c. Esporadicamente, dentro de uma extensa prosa narrativa.
Exemplo 1:
O breve diálogo a seguir alterna-se com longas narrações do protagonista e, dentro do contexto, inaugura uma cena importante para a definição do personagem e de seus sentimentos.
— Tem carga para esta caneta?
Foi o que lhe perguntei, tirando do bolso uma caneta alemã que tinha comprado em Bruxelas e de que gosto muito porque a pena é preta e fosca.
— Deixe ver — disse ela, e abriu a caneta e viu a carga quase vazia. — Acho que não, mas espere, vou dar uma olhada nas caixas de cima.
(Javier Marías, *Coração tão branco*)[2]

Exemplo 2:
Neste caso, à medida que a tensão da narrativa cresce em razão do acontecimento principal, o autor emprega o diálogo, estabelecendo alguns pontos de referência. Aqui, a única linha de diálogo coincide com a pergunta que o próprio leitor se faz e precede um longo discurso do narrador comentando a conversa que os personagens mantêm entre si, sem colocá-la em cena porque gira em torno de assuntos cotidianos e prejudicaria a intensidade do relato.

— Mas que fará ainda? — dizia daí a pouco o pai, olhando sem dúvida para a porta.
E decorridos alguns momentos reatava-se a interrompida conversação.
Deste modo Gregório soube com grande satisfação — o pai repetia e repisava suas explicações em parte porque fazia tempo que ele mesmo não se ocupava daqueles assuntos e em parte também porque a mãe demorava em entendê-los — que, apesar da desgraça, ainda lhes restava do antigo esplendor algum dinheiro; é verdade que muito escasso, mas que fora aumentando alguma coisa desde aquela época graças aos juros intactos.
(Franz Kafka, *A metamorfose*)[3]

d. Na totalidade.
Um relato profusamente dialogado simula colocar o leitor dentro da cena. Se o diálogo é sua matéria exclusiva, costuma ser uma estratégia para enfatizar e desenvolver o tema da falta de comunicação. Nesse sentido, o exemplo a seguir é excelente, demonstrando pelo diálogo os sentimentos opostos de um casal:
— Detroit na linha — disse a telefonista.
— Alô — disse a garota em Nova York.
— Alô — disse o rapaz em Detroit.
— Oh, Jack! — ela disse. — Oh, querido, que bom ouvir você. Você nem imagina a...
— Alô? — ele disse.
— Você não está me ouvindo? — ela disse. — Estou te ouvindo como se você estivesse do meu lado. Melhorou, querido? Já consegue me ouvir agora?
— Quer falar com quem? — ele disse.
— Com você, Jack! — ela disse. — Com você! É Jean, querido. Está me ouvindo? É Jean!
— Quem? — disse ele.
— Jean — ela disse. — Não está conhecendo minha voz? É Jean, querido. Jean.
— Ah, oi! — ele disse. — Ora, claro, claro. Como vai?
(Dorothy Parker, *Nova York chamando Detroit*)[4]

Um diálogo deve sempre conferir às vozes que o sustentam uma singularidade, uma insinuação, uma revelação, em consonância com as ações e os sentimentos dos personagens. Escrever um diálogo é concretizar, e não cair em divagações.

2.

Tipos de diálogo

Os personagens de nossas narrativas podem falar em três formas diferentes de diálogos:

- *Discurso direto.*
- *Discurso indireto.*
- *Discurso livre.*

DISCURSO DIRETO

Chama-se direto porque reproduz direta e literalmente as palavras pronunciadas pelos personagens. Do ponto de vista formal, o modo clássico é que essas palavras sejam precedidas por um travessão e introduzidas pelos verbos *dicendi*. As intervenções dos personagens podem ser ou não acompanhadas de incisos feitos pelo narrador.

Exemplo:
Não pude evitar um sorriso. Corso fez um gesto de assentimento, convidando-me a pronunciar o veredito.
— Sem a menor dúvida — falei — isso é de Alexandre Dumas, pai. O vinho de Anjou, *capítulo quarenta e tantos, creio recordar, de* Os três mosqueteiros.
— Quarenta e dois — confirmou Corso. — Capítulo quarenta e dois.
— É o original?... O autêntico manuscrito de Dumas?
— Para isso estou aqui. Para que me diga.
Encolhi um pouco os ombros, a fim de eludir uma responsabilidade que soava excessiva.
— Por que eu?
Era uma pergunta cretina, das que só servem para ganhar tempo. A Corso deve ter parecido falsa modéstia, porque reprimiu um esgar de impaciência.
— O senhor é um especialista — replicou, um pouco seco. — E, além de ser o crítico literário mais influente deste país, sabe tudo sobre o romance popular do século XIX.
(Arturo Pérez-Reverte, *O clube Dumas*)[5]

DISCURSO INDIRETO

No diálogo indireto, o narrador reproduz com suas palavras o que os personagens dizem ou disseram. Este recurso pode tornar a leitura mais ágil, eliminando as pausas entre narração e diálogo.

Cria certo ar de credibilidade e de curiosidade (como na fofoca) que corresponde ao "me disseram", "ouvi dizer", etc. Além disso:

- *As palavras dos personagens dependem dos verbos* dicendi, *acompanhados por conjunção subordinativa (em geral, "que").*
- *Os tempos verbais, os pronomes e os advérbios modificam-se quando se passa do estilo direto para o indireto.*
- *Não se usa o travessão.*

Em resumo, o narrador introduz a fala dos personagens sem marcar suas palavras com sinal algum. Por outro lado, é obrigado a usar com frequência a conjunção "que".

Exemplo 1:

O narrador reproduz uma voz:

O dia seguinte transcorreu para ela numa doçura nova. Fizeram-se juras de amor. Ela contou-lhe suas tristezas. Rodolphe interrompeu-a com beijos; e ela, contemplando com suas pálpebras semicerradas, ***pedia-lhe que*** *a chamasse mais uma vez pelo seu nome e que dissesse que a amava.*

(Gustave Flaubert, *Madame Bovary*)[6]

Exemplo 2:

O narrador reproduz duas vozes e emprega os verbos no presente:

Ele diz ***que*** *aquela é a última música que a orquestra vai tocar,* ***que*** *está na hora de tirar a máscara. Ela diz* ***que*** *não, a noite deve acabar sem que ele saiba quem é ela e sem que ela saiba quem é ele. Porque nunca mais se tornarão a ver, aquele foi o encontro perfeito de um baile de carnaval e mais nada. Ele insiste e tira a máscara, o cara é lindo, e repete* ***que*** *passou a vida toda esperando por ela e que agora não vai deixá-la fugir.*

(Manuel Puig, *O beijo da mulher-aranha*)[7]

Exemplo 3:

O narrador reproduz várias vozes e emprega os verbos no passado:

E quando a sala já estava com papel novo, apareceu uma mancha do lado direito. A gente mandou chamar o rapaz que havia aplicado o papel e ***ele disse que*** *a culpa não era dele,* ***que*** *a mancha devia ter aparecido depois.* ***Que*** *era um defeito da parede, que devia ter arrebentado alguma coisa dentro dela. E o Quimet* ***disse que*** *aquela*

mancha já devia estar lá e que a obrigação dele era ***ter avisado que*** *havia umidade. O Mateu* ***disse que*** *era melhor ir ver no vizinho, que talvez eles tivessem a pia daquele lado e que se ela tivesse vazamento estaríamos perdidos.*
(Mercè Rodoreda, *A praça do diamante*)[8]

DISCURSO LIVRE

O estilo livre consiste em incorporar o diálogo à narrativa, eliminando os verbos *dicendi* e, por consequência, os travessões do diálogo. É uma variante do indireto, com a diferença de que agora a intervenção dos personagens interrompe a narrativa. Nota-se que narrador e personagens em diálogo são diferentes pelo contexto e pelas mudanças verbais. Trata-se de uma modalidade intermediária entre o estilo direto e o indireto. Permite ao narrador onisciente criar a sensação de que é o personagem quem contempla tudo. E o que o narrador diz é também como se o personagem estivesse dizendo.

Exemplo:

É comum que haja alternância entre o estilo indireto e o indireto livre, como no texto a seguir:
E Monsieur Thiers, depois de seu primeiro passeio por Paris dos escarmentos, havia dito, assim como quem não quer nada: "As ruas estão cheias de cadáveres; esse horroroso espetáculo servirá de lição." Os jornais da época — os de Versalhes, é claro — pregavam a santa cruzada burguesa da matança e do extermínio. E recentemente... que me diz o senhor das vítimas da greve de Fourmies? E mais recentemente ainda? Teve contemplações o grande Clemenceau com os grevistas de Draveil, de Villeneuve-St-Georges?... Hem?... O Acadêmico, atacado de frente, desviou o rosto em direção ao Primeiro Magistrado: "Tout cela est vrai. Tristement vrai. Mais il y a une nuance, Messieurs"... *E em seguida, depois de uma pausa um tanto solene e preparatória, elevando a sonoridade de cada nome, recordou que a França havia dado ao mundo um Montaigne, um Descartes, um Luís XIV, um Molière, um Rousseau, um Pasteur.*
(Alejo Carpentier, *O recurso do método*)[9]

COMBINAÇÕES E VARIAÇÕES

Os discursos anteriores podem ser combinados num único relato, ou aparecer unidos à prosa, disfarçados de monólogo, etc.

- *Direto e indireto entrelaçados*

Exemplo:

Ela se sentia fraca, vazia, chateada, se algum dia tivesse dinheiro compraria uma lápide e mandarei gravar Trinidad López com letras douradas. [...] *Na semana seguinte apresentou-se em Mirones a amiga Gertrudis Lama, por que não tinha voltado ao laboratório, até quando acha que vão esperá-la? Mas Amalia não voltaria nunca mais ao laboratório. E o que ia fazer, então? Nada, ficar aqui até que me botem para fora, e dona Rosário: boba, nunca vou botar você para fora.*

(Mario Vargas Llosa, *Conversa na catedral*)[10]

Observe-se o contraste na mesma frase:

a. estilo indireto: *(pensava que) se algum dia tivesse dinheiro compraria uma lápide*

b. estilo livre: *e mandarei gravar*

- *Unido à prosa*

O discurso direto pode aparecer unido à prosa narrativa, sem nenhuma indicação especial.

Exemplo:

Tendo em vista que a Tota lhe pediu para descer e comprar uma caixa de fósforos, Lucas sai de pijama porque a canícula impera na metrópole, e se aboleta no café do gordo Muzzio onde antes de comprar os fósforos decide mandar um aperitivo com soda. Está pela metade desse nobre digestivo quando seu amigo Juárez entra, também de pijama, e ao vê-lo lasca que tem a irmã com uma otite aguda e o farmacêutico não quer lhe vender as gotas calmantes porque a receita não aparece e as gotas são uma espécie de alucinógeno que já eletrocutou mais de quatro hippies do bairro. Você ele conhece bem e venderá, venha depressa, a Rosinha está se retorcendo de tanta dor que nem posso olhá-la.

(Julio Cortázar, *Um tal Lucas*)[11]

- *Quase indireto*

Apresenta-se como estilo direto, o intermediário é eliminado, mas o contexto indica que se trata de estilo indireto.

Exemplo:

No livro *Crônica de uma morte anunciada,* de Gabriel García Márquez,[12] conta-se, 27 anos depois, o que disseram as testemunhas a respeito da morte do protagonista. Por vezes surge o locutor, mas em outros momentos as mensagens simplesmente aparecem.

No dia em que o matariam, Santiago Nasar levantou-se às 5h30 da manhã para esperar o navio em que chegava o bispo. Tinha sonhado que atravessava um bosque de grandes figueiras onde caía uma chuva branda, e por um instante foi feliz no sonho, mas ao acordar sentiu-se completamente salpicado de cagada de pássaros. "Sempre sonhava com árvores", disse-me Plácida Linero, sua mãe, 27 anos depois, evocando os pormenores daquela segunda-feira ingrata. "Na semana anterior tinha sonhado que ia sozinho em um avião de papel aluminizado que voava sem tropeçar entre as amendoeiras", disse-me.

- *Indireto, na primeira pessoa*

Pode ser considerado um monólogo porque, aparentemente, o personagem conversa consigo mesmo.

Exemplo:

Que fazer? Até quando duraria essa situação? Senti-me infinitamente desditoso. Caminhamos várias quadras. Ela continuava a andar com firmeza.

(Ernesto Sábato, *O túnel*)[13]

> No diálogo direto a voz do personagem é introduzida diretamente, ao passo que no indireto é introduzida pelo narrador. Estas e outras variantes alternam-se num mesmo texto.

O MONÓLOGO

Do grego *monos* (um) e *logos* (discurso). Caracteriza-se por transcorrer na mente do personagem, como se falasse consigo mesmo, e pela desarticulação lógica dos períodos e sentenças. Também é denominado "fluxo da consciência".

Utilizando esta técnica narrativa, o escritor nos introduz diretamente na vida íntima do personagem sem acrescentar comentários e explicações. É como se o protagonista fizesse um discurso não pronunciado, um discurso vivido. Em geral, o monólogo se realiza em orações reduzidas a um mínimo de elementos sintáticos. É um discurso descontínuo, que vai pulando de um assunto para outro, sem introdução prévia. Há também superposição de planos temporais, através da mudança de tempo e pessoa nas formas verbais.

Sob a aparência de uma fluidez espontânea, cria-se a ilusão de um discurso inconsciente.

Exemplo:

No trecho a seguir, o protagonista, que se encontra numa cadeia, deixa sua consciência fluir e vai fazendo uma série de reflexões íntimas. Seus pensamentos mais profundos e secretos vêm à tona.

A articulação sintática do discurso reflete o estado de ânimo do protagonista: orações nominais, reiterações, retrocessos constantes para retomar assuntos bruscamente interrompidos.

Não pensar. Não há razão para pensar no que já está feito. É inútil tentar corrigir os erros que um dia se cometeram. Todos os homens cometem erros. Todos os homens se equivocam. Todos os homens buscam sua perdição por um caminho complicado ou simples. Desenhar uma sereia a partir de uma mancha na parede. Na parede aparece uma sereia. Sua cabeleira caindo pelos ombros. Com o ferrinho do cordão do sapato que caiu de alguém que ainda possui cordões pode-se riscar a parede e dar forma a um desenho sugerido pela mancha. Eu sempre fui um péssimo desenhista. Ela tem um rabo curto, de peixe pequeno. Não é uma sereia comum. Eu aqui, deitado, e a sereia pode me olhar. Você está bem, muito bem. Não pode acontecer nada com você porque você não fez nada. Não pode acontecer nada com você. Todo mundo deve saber que você não fez nada. É evidente que você não fez nada.

(Luis Martín-Santos, *Tempo de silêncio*)*

Como introduzir o monólogo

O monólogo pode ser colocado diretamente ou intercalado entre outras vozes narrativas, ao longo de um capítulo, entre dois parágrafos, ou dentro de um mesmo parágrafo.

1. O personagem exprime seu pensamento num monólogo interior que pode ocupar todo um conto, um capítulo de romance ou o romance inteiro.

   Exemplo:

   Acabo de escrever, temo ter caído no sono, etc. Espero que isso não seja uma distorção excessiva da verdade. Acrescento estas poucas linhas, antes de me abandonar de novo. Já não me abandono com a mesma avidez de oito dias atrás, por exemplo. Isso deve estar durando uns oito dias, há mais de oito dias quando eu disse, logo enfim vou estar bem morto apesar de tudo.

   (Samuel Beckett, *Malone morre*)[14]

2. O personagem se expressa sem destinatário, fala consigo mesmo numa narrativa direta na primeira pessoa. Podemos

trabalhar num mesmo texto com o monólogo e a narração em terceira pessoa. Pode-se narrar em terceira pessoa e esse narrador confundir-se cada vez mais com o personagem, até que a narrativa seja o próprio fluxo da consciência deste personagem.
Exemplo:
De pé, mastigando ruidosamente, o Sr. Bloom olhou de cima para o suspiro dele. Nosey de cérebro parvo. Falo a ele sobre o cavalo de Lenehan? Ele já sabe. Melhor deixar ele esquecer. Ir e perder mais. O tolo e seu dinheiro. Gotas de orvalho caindo novamente. Nariz frio ele teria ao beijar uma mulher. Assim mesmo pode ser que elas gostassem. De barbas espinhosas elas gostam. Narizes frios de cachorros. A velha Sra. Riordan [...].
(James Joyce, *Ulisses*)[15]

É possível distinguir os dois pontos de vista:

a. A frase que corresponde ao narrador em terceira pessoa: *De pé, mastigando ruidosamente, o Sr. Bloom olhou de cima para o suspiro dele.*
b. O restante do parágrafo citado corresponde ao fluxo da consciência do personagem, o Sr. Bloom.

3. Pode-se narrar diretamente na primeira pessoa, mas num determinado momento do relato o narrador-personagem passa a expor seu caos interno, o incoerente eu interior.
Exemplo:
Achei gasolina no quarto de Shreve e abri o colete sobre a mesa, estiquei-o e abri a lata de gasolina. O primeiro carro da cidade uma menina Menina é o que Jason não suportava cheiro de gasolina o enjoava depois ficou mais irritado do que nunca porque uma menina Menina não tinha irmã mas Benjamin [...].
(William Faulkner, *O som e a fúria*)[16]

Podemos distinguir os dois pontos de vista:

a. A frase que corresponde ao narrador na primeira pessoa: *Achei gasolina no quarto de Shreve e abri o colete sobre a mesa, estiquei-o e abri a lata de gasolina.*
b. O restante do parágrafo correspondente ao monólogo interior.

O SOLILÓQUIO

Do latim *soliloquiu(m)*, de "falar" (*loqui*) e "solitário" (*solus*). O solilóquio é o ato de falar sozinho, uma espécie de diálogo do personagem consigo mesmo. Foi levado do teatro para o romance. O personagem fala sozinho diante de interlocutores imaginários.

Segundo Robert Humphrey, "a diferença básica entre solilóquio e monólogo interior consiste em que, mesmo sendo um falante solitário em ambos os casos, no solilóquio supõe-se a existência de uma audiência convencional e imediata. Daí provêm as características específicas do solilóquio, que o distinguem ainda mais claramente do monólogo interior. E a mais importante dessas características é que há no solilóquio uma coerência maior, na medida em que o seu propósito é comunicar emoções e ideias relacionadas a um argumento e uma ação. Já a intenção do monólogo interior é, em primeiro lugar, comunicar uma identidade psíquica".

Em outras palavras, o solilóquio é muito mais um relato de um narrador na primeira pessoa do que o monólogo interior ou o fluxo da consciência.

Exemplo:

[...] *embora tenha tentado encobrir, calar, eu o tenho presente, sempre presente; depois de meses de um esquecimento que não foi esquecimento — quando tornava a me encontrar dentro daquela tarde, sacudia a cabeça com violência, para embaralhar as imagens, como o menino que vê se enredarem sujas ideias ao corpo dos seus pais — depois de muitos dias transcorridos é ainda o cheiro de água podre sob os nardos esquecidos nos seus vasos de cornalina; as luzinhas acesas pelo poente, que fecham as arcadas dessa longa, longa demais, galeria de persianas; o calor do telhado, o espelho veneziano com os seus profundos biséis e o ruído de caixa de música que cai do alto, quando a brisa faz se entrechocarem as águas de cristal que vestem a lâmpada com franjas de aquilão* [...].

(Alejo Carpentier, *O cerco*)[17]

Diálogo ou solilóquio?

Por último, existem casos em que as fronteiras entre diálogo e solilóquio estão indefinidas. Por exemplo, em *Você não se ama*, de Nathalie Sarraute,* há um diálogo entre as vozes internas do mesmo personagem:

— *"Vós não vos amais." Mas, como assim? Como é possível uma coisa dessas? De que "vós" estamos falando? Quem não ama a quem?*

— Você, é claro... esse "vós" era uma forma de cortesia, um "vós" que se refere a você.
— Eu? Refere-se a mim? Não a um "vós" que sois eu... e somos tão numerosos... "uma personalidade complexa"... como todas as outras... Então, quem deve amar a quem nisso tudo?

O DIÁLOGO NO CINEMA E NO TEATRO

A principal diferença entre o diálogo narrativo e o teatral ou o cinematográfico é que o narrativo se escreve para ser lido e o narrador pode aparecer no relato. O diálogo no cinema e no teatro se escreve para ser representado e o narrador não aparece em cena, dando a palavra exclusivamente aos personagens.

Diálogo cinematográfico

Existe no cinema a figura do roteirista, a quem se encarrega a tarefa de criar o texto com as sequências e cenas do filme, bem como as rubricas técnicas e todos os diálogos. O diálogo é o corpo comunicativo do roteiro de cinema e TV, e serve para caracterizar o personagem. Os diálogos devem receber uma ênfase especial com relação ao aspecto coloquial da fala cotidiana, embora não seja preciso reproduzir a realidade pura e simplesmente.

A principal função do diálogo cinematográfico é proporcionar a informação que não se consegue apresentar com a ação propriamente dita.

Dentro de uma imagem, o diálogo pode ser substituído por um gesto ou um olhar, que poderiam ser mais significativos do que as palavras.

As condições fundamentais desse tipo de diálogo, diferentemente do que acontece em romances e outros relatos literários em geral, são as seguintes:

- *É mais concentrado.*
- *É mais breve, incluindo somente o necessário para a informação.*

É primordial que o diálogo cinematográfico ou o televisivo sejam dinâmicos e verossímeis. O espectador deve ter a impressão de que é algo natural.

Escrever um roteiro de cinema ou TV é um trabalho de equipe, diferentemente da tarefa solitária do romancista. Disse Valeria C.

Selinger: "O roteirista deve transmitir informação constantemente, tanto de forma visual como auditiva (mesmo quando, no nível da ação, "nada acontece"). Todas as frases devem poder traduzir-se em imagens visuais e sonoras. Nesta transmissão de informação, o narrador não existe, deve ser completamente objetivo. Por isso algumas frases estão praticamente proibidas como "L tinha uma casa bonita", porque não orienta em nada o cenógrafo, pois não se sabe que tipo de casa o roteirista considera "bonita".

Diálogo teatral

O diálogo teatral é também ação falada. A incidência do diálogo numa obra teatral é total: sem diálogo não há teatro, ao passo que num romance ou conto pode-se prescindir dele.

No teatro, o narrador desaparece e os personagens se encarregam de dar a conhecer, pelo diálogo, a história a ser contada. Mediante a linguagem falada em cena, os personagens são caracterizados e cria-se o ambiente da obra. É tão importante quanto a ação.

Outras opções do diálogo teatral são o solilóquio, de que já tratamos, e o coro.

No *solilóquio*, o ator, sozinho no palco, expõe seus pensamentos e sentimentos em alto e bom som. Foi um recurso habitual no teatro grego e latino, mantendo-se até o barroco e o neoclássico. Há resquícios desse recurso no teatro moderno, como no caso de *Equus*, de Peter Shaffer. No cinema é usado com prudência, como em *Sunday, bloody Sunday*, de John Schlesinger.

O *coro* é o conjunto vocal que se expressa com o canto ou a declinação. No teatro clássico era o conjunto de atores que, ao lado dos protagonistas, representavam o povo, narrando e comentando a ação. Manteve-se o seu uso no musical, como na sequência da corrida de cavalos em Ascot, em *My fair lady*, dirigido por George Cukor.

MESCLA DE GÊNEROS

Está demonstrado que a divisão entre os gêneros é simplesmente relativa. Portanto, é possível, por exemplo, encontrar o diálogo teatral dentro de um romance:

Ela (sem graça, referindo-se a outra coisa)*: O verão contra os bons costumes.*

Eu: Enlouqueceu e perdeu o rumo.
Ficamos sentados nós dois, aparentemente sem intenções metafísicas, cada um num lado da mesa, embora fiéis ao velho enlouquecido sem pêndulo, afônico de badaladas por sua própria conta.
Eu (mais solene, servindo-me num copo): *Já faz um ano e tanto juntos.*
Ela (entende): *Como se fosse ontem, quando fui até a janela e disse algo sobre o verão.*
Eu: Vai se chamar Sérgio, como Prokofiev.
(Néstor Sánchez, *Sibéria Blues*)*

> O diálogo narrativo se distingue do cinematográfico e do teatral porque o primeiro está escrito para ser lido e o leitor deve imaginar a cena, ao passo que os outros dois estão escritos para ser encenados, podendo ser reestruturados pelo diretor e vistos pelo espectador diretamente numa cena.

3.

Formas de representação dos diálogos

Como transcrevemos os diálogos? Diretamente, sem nenhum tipo de inciso esclarecedor, com pouquíssimas explicações, ou explicitando e dando detalhes sobre o estado de ânimo e as características dos falantes.

AS FORMAS CLÁSSICAS

Há diversas formas de representar no papel os diálogos diretos. Veremos essas formas a seguir.

A forma tradicional

O modo tradicional é que os diálogos sejam abertos com um travessão (—). Usa-se no início da frase (mas não quando ela termina) e quando se indica a pessoa que fala, encerrando apenas com um esclarecimento intercalado:
— *Acho que virá em breve — disse ela, um tanto assustada.*

Vejamos um exemplo retirado de um romance:
— *Imagine uma organização ultraclandestina perfeita, disposta a exterminar esta nova forma de barbárie e opressão que se chama democracia.*
— *Um pouco exagerado tudo isso — respondi para não parecer muito impressionado. — Como já lhe disse, eu me contentaria no momento em exterminar alguns sujeitos antipáticos.*
(Juan José Millás, *Letra morta*)*

A forma tradicional anglo-saxã

Os anglo-saxões utilizam aspas em lugar de travessões:
"Creio que ele virá em breve."

Mencionamos este tipo de representação do diálogo porque pode ser utilizado também em português.

Exemplo:
"Vejo uma borda vermelho-vivo", disse Jinny, "tramada com fios de ouro."
"Ouço alguma coisa batendo", disse Louis. "A pata de um grande animal acorrentado. Bate, bate, não para de bater."
"Olhem a teia de aranha no canto da sacada", disse Bernard. "Há gotas de água nela, gostas de luz branca."
"As folhas se juntaram em torno da janela como orelhas pontiaguda", disse Susan.

"Uma sombra cai sobre a vereda", disse Louis, "como um cotovelo dobrado."
(Virginia Woolf, *As ondas*)[18]

Embora a pontuação tradicional para o diálogo seja o travessão, pode-se usar as aspas quando se pretende reproduzir um pensamento. Ambas as formas de representação podem coexistir:

Exemplo:

— Não sei por que sempre que uma mulher bela e jovem morre todo mundo imagina que existe uma terceira pessoa, um triângulo amoroso — ironizou.
"A resposta é que, com frequência, o triângulo é a causa da morte", pensou o detetive. Mas não se atreveu a falar em voz alta.
(Eugenio Fuentes, *O interior do bosque*)*

A PONTUAÇÃO CORRETA

A pontuação correta do diálogo se faz da seguinte maneira:

Nos discursos:

Abre-se com um travessão (—), depois do qual vem a frase:
— A chuva é passageira.

Quando há um inciso, não é preciso colocar outro travessão no começo da segunda parte, além daquele que conclui o inciso:
— A chuva é passageira — afirmou José. — De qualquer modo, não saia agora.

Nos incisos, o primeiro travessão está ao lado da palavra que começa o inciso, e o segundo ao da que conclui.
— Não acredito — disse Maria. — É possível que fique conosco.

Se há um inciso, os sinais de pontuação necessários para indicar a entonação correspondente (vírgula, ponto e vírgula, ponto) vêm antes da continuação do discurso, tal como aparece no exemplo anterior.

Outras normas para a pontuação dos diálogos são:

- *Cada intervenção é considerada um parágrafo e se usa um travessão para lhe dar início.*
- *Os incisos do narrador estão entre travessões, que atuam como parênteses.*

- *Depois do ponto final do parágrafo de cada intervenção não se usa o travessão.*

O USO DAS ASPAS

As aspas costumam ser utilizadas para indicar os seguintes aspectos:

- *Marcar os pensamentos.*

Exemplo:
"Meu Deus — pensou Montag, — é isso mesmo! O alarme sempre chega à noite. Nunca de dia!"
(Ray Bradbury, *Fahrenheit 451*[19])

- *Quando convém marcar as palavras de um ou vários personagens em situações que não propriamente as de um diálogo.*

Exemplo (também de *Fahrenheit 451*[20]):
[...] *ele se sentara em uma duna amarelada à beira-mar* [...], *tentando encher uma peneira com areia, porque um primo cruel lhe dissera: "Encha esta peneira que eu lhe dou uma moeda de dez centavos!".*

- *Quando, num diálogo, um personagem cita as palavras de outro diálogo, estas são marcadas com aspas.*

Exemplo:
— *Você sabe de que modo ela me chamava? Feia, isso mesmo, Feia, como se este fosse o meu nome. "Feia, pode me trazer um copo d'água?".*
(Rosa Chacel, *Bairro de maravilhas*)*

OS MATIZES EXPRESSIVOS

Podemos variar o efeito que uma linha de diálogo produz, empregando tons de diferentes matizes expressivos, demarcados com diferentes com diferentes sinais de pontuação:

— *Agora você se arrepende — disse Frederico.*
— *Agora você se arrepende? — perguntou Frederico.*
— *Agora você se arrepende! — gritou Frederico.*

Embora exista a pontuação clássica, cujas regras devemos obedecer corretamente para não confundir o leitor, podemos criar nossa própria maneira de expressar o diálogo, usando letras maiúsculas para indicar o falante, por exemplo, ou da maneira que considerarmos mais adequada.

SEM O VERBO "DIZER"

Outra possibilidade é elaborar o diálogo de tal modo que o leitor saiba a todo momento quem são os interlocutores, sem necessidade de que lhe seja dito nada expressamente. Nesse caso, o travessão é utilizado apenas no início das falas e não para fechá-las.

Exemplo:

— *Vó.*

— *O que você quer?*

— *Preciso comprar umas botas.*

— *Por quê?*

— *Porque o chão está muito frio e meus pés estão que eu não me aguento.*

— *Para isso você é jovem e para isso já existe o braseiro.*

— *Sim, mas à noite eu não estou perto do braseiro e durante o dia, mesmo friccionando os pés, eles não esquentam.*

— *Botas são ruins; não deixam o pé respirar e criam calos.*

— *Vó, meus pés já respiram à noite. E de dia eles precisam receber sangue, mas com o frio isso não acontece e eles ficam brancos como o gelo.*

(Rafael Sánchez Ferlosio, *Alfanhuí*)*

4.

A arte do inciso

O inciso é a intervenção do narrador, testemunha dos diálogos (ou participante, em alguns casos), que indica quem está falando. Amplia a informação sobre vários aspectos referentes ao falante, quando se faz necessário.

Em geral, em sua forma mais comum e convencional, os incisos (a exemplo das indicações cênicas na linguagem teatral) correspondem às variantes "disse ele" e "disse ela", denominados verbos *dicendi*. Informam sobre:

- *O locutor (emissor da mensagem).*
- *O interlocutor ou receptor (a quem é dirigida a mensagem).*
- *A forma como a mensagem é emitida.*

OS OBJETIVOS

Quando um narrador se intromete na metade de uma conversa, pode limitar-se a fazer uma indicação ou alterar completamente o efeito que o diálogo vai produzir em nós.

Os incisos do narrador nos diálogos diretos podem ser muito breves, indicando qual personagem está falando, podem ser longos ou podem simplesmente não acontecer.

Umberto Eco[21] disse que, ao escrever *O nome da rosa*, "as conversações acarretavam muitos problemas [...]. Existe uma temática, pouco tratada nas teorias da narrativa, que é a dos [...] artifícios pelos quais o narrador passa a palavra aos vários personagens".

E propõe o seguinte exemplo: dois personagens se encontram e um pergunta ao outro como vai. O outro responde que vai bem e pergunta, por sua vez, como vai o primeiro:

a. — *Como vai?*
— *Bem, e você?*

b. — *Como vai? — disse João.*
— *Bem, e você? — disse Pedro.*

c. — *Como vai? — perguntou João, solícito.*
— *Bem, e você? — respondeu Pedro, sarcástico.*

d. Disse João:
— *Como vai?*
— *Não me queixo — respondeu Pedro com voz incolor.*
Depois, com um sorriso indecifrável: — E você?

Os itens a e b são similares, mas c e d são muito diferentes entre si. Em virtude da intromissão do narrador, podemos perceber em c e d certas alusões na resposta de Pedro que não aparecem em a e b.

O USO ADEQUADO DO INCISO

O inciso costuma ser necessário nos seguintes casos:

- *Quando se quer insistir sobre algum aspecto.*
- *Quando a mensagem sugere diferentes matizes de respostas do interlocutor.*
- *Quando há vários falantes.*

Insistir sobre algum aspecto

Quando queremos enfatizar um traço ou uma reação significativos para a trama, recorrer ao inciso pode ser o mais propício.

Exemplo:

No texto abaixo, para destacar o caráter obsessivo do personagem, empregamos um inciso que enfatize o uso da linguagem e o gesto:

— Você regou as azaleias? Tem certeza que regou? — repetiu X pela terceira vez, enquanto alisava o bigode com um pequeno pente, olhando-se na vidraça da janela.

Sugerir diferentes matizes

A criação de um diálogo deve corresponder a um propósito já estabelecido. Para decidir sobre seu uso, um caminho é experimentar algumas possibilidades no mesmo diálogo e analisar os resultados. No exemplo abaixo, cada inciso é necessário para insinuar um sentido diferente que poderia se perder:

a. *— É melhor que você se afaste de mim! — respondeu X, com ódio.*
b. *— É melhor que você se afaste de mim — disse X angustiada, com um fio de voz.*
c. *— É melhor que você se afaste de mim — soltou X, passado um momento em parecia estar pensando em outra coisa.*

Vários falantes

Em muitos casos, quando vários personagens estão falando, o inciso se torna imprescindível para que o leitor não se perca.

Exemplo:
— *Quem de nós será o primeiro?* — *perguntou Raul.*
— *Não contem comigo* — *Lalo apressou-se a dizer.*
— *Já estou vendo que terei de ser eu* — *disse Rita.*
— *Não há motivo para seja você* — *respondeu Raul.*
— *E se fosse o caso, qual o problema?* — *interveio Magda.*

> O inciso possui uma função específica. Não devemos empregar incisos por mero hábito ou de forma arbitrária.

O LUGAR DO INCISO

O verbo *dicendi*, "disse", pode ser colocado antes ou depois da fala do personagem. As duas possibilidades podem ser encontradas num mesmo texto, embora não seja o mais comum.

Exemplo:
— *Diga-me uma coisa* — *falou Padre Ángel.* — *Alguma vez você me ocultou algum pecado?*
Trinidad negou com a cabeça.
Padre Ángel fechou os olhos. Deixou de mexer o café, pôs a colher no pires e segurou Trinidad pelo braço.
— *Ajoelhe-se* — *disse.*
[...] *Trinidad apertou os punhos contra o peito, rezando num murmúrio indecifrável, até que o padre lhe colocou a mão no ombro e disse:*
— *Está bem.*
— *Eu menti* — *disse Trinidad.*
(Gabriel García Márquez, *O veneno da madrugada: a má hora*)[22]

O USO DO VERBO "DIZER"

O verbo "dizer" é o mais utilizado nos incisos do narrador, mas existem muitos outros verbos que podem tornar mais clara e exata a informação que a voz narrativa deseja transmitir ao leitor. Destacamos as seguintes:

Afirmar, perguntar, indagar, responder, explicar, contar, negar, concordar, detalhar, informar, pedir, exclamar, exortar, aconselhar, determinar.

Não devemos utilizar mecanicamente o verbo "dizer". Há outros verbos, e cabe ao escritor escolher o mais apto para transmitir a informação.

AMPLIAR O EFEITO

Os personagens devem se expressar de acordo com suas características e com o momento da história que estão vivendo. Há mecanismos válidos para ampliar o efeito do diálogo e que acentuam ou salientam suas reações. Os principais são os qualificativos e a descrição.

- *Os qualificativos.*

Com os advérbios e adjetivos podemos qualificar os personagens. Normalmente esses recursos são dispensáveis, na medida em que a força do diálogo — o que cada personagem diz e como diz — basta para que o leitor entenda o que está acontecendo. Mas em alguns casos são úteis para expressar estados de ânimo como o medo e a tensão. Uma palavra extra — advérbio ou adjetivo — pode nos ajudar a produzir a atmosfera adequada.

Exemplo:

— Agora você se arrepende — disse Frederico.

O efeito mudará quando a atitude de Frederico for outra, algo que é possível especificar com alguma palavra que estabeleça o matiz anímico correspondente:

— Agora você se arrepende — disse Frederico, timidamente.
— Agora você se arrepende — disse Frederico, cabisbaixo.
— Agora você se arrepende — disse Frederico, ameaçador.
— Agora você se arrepende — disse Frederico, apaixonadamente.

- *A descrição.*

Outra opção é elaborar a ideia, ampliando o qualificativo e substituindo-o por uma explicação sobre um estado de ânimo, um gesto, uma sensação ou uma ação do personagem.

A mensagem transmitida com palavras pode ser acompanhada por uma determinada carga emocional e por algum movimento corporal que o narrador costuma especificar ampliando a visão do personagem que fala. Pode-se indicar a perplexidade com o olhar voltado para o chão; a ansiedade, com um ir e vir constante; uma ação específica pode dar maior vivacidade à cena, etc.

Quando o receptor recebe a mensagem falada do emissor, capta igualmente o que seus movimentos físicos dizem. Muitas vezes, os gestos que os interlocutores trocam constituem um diálogo sem palavras. Portanto, podemos empregar a descrição breve e específica dessas ações mínimas para ampliar o efeito do inciso.

Exemplo 1:
Com relação a um estado de ânimo:
— Agora você se arrepende — Frederico murmurou, perplexo.
— Agora você se arrepende — rebateu Frederico, com ódio.

O resultado é que Frederico comporta-se de modo diferente nos dois casos, tendo em vista seu estado de ânimo. Também podemos imaginar a reação do segundo personagem antes e depois da fala de Frederico.

Exemplo 2:
Com relação a um gesto:
— Agora você se arrepende — ameaçou Frederico, com o dedo em riste.
— Agora você se arrepende — disse Frederico enquanto afastava uma mecha de cabelo dos seus olhos.

Exemplo 3:
Com relação a uma sensação:
— Agora você se arrepende — disse Frederico, um pouco nauseado.
— Agora você se arrepende — Frederico disse, sentido na boca um gosto amargo.

Exemplo 4:
Com relação a uma ação:
— Agora você se arrepende — gritou Frederico, quebrando a estatueta.

Devemos basear a escolha do diálogo nas necessidades da história narrada e nos aspectos que queremos ressaltar. Enfatizando certos qualificativos, determinadas explicações ou adequando o tom expressivo, podemos tornar mais evidente uma característica do personagem em questão.

OUTRAS MODALIDADES DE DIÁLOGO

Existem numerosas modalidades que transgridem a forma convencional de apresentar o diálogo. Também é possível inventarmos outros modos para dizer o que desejamos, de acordo com as exigências do argumento e da trama.

Podemos, por exemplo, introduzir o estilo direto suprimindo elementos clássicos do diálogo, como o travessão e a mudança de uma linha para outra. Trata-se de fórmulas menos convencionais que a narrativa moderna utiliza e nas quais o leitor identifica os personagens e o narrador pelo uso diferente de pessoas e tempos verbais.

Vejamos alguns exemplos:

- Suprime-se o travessão na introdução dos diálogos:

Ele estava no quarto enfiando as roupas na mala quando ela se aproximou da porta.
Estou feliz por você ir embora! Estou feliz por você ir embora!, disse ela. Está ouvindo?
Ele continuou pondo suas coisas na mala.
Filho da puta! Estou muito feliz por você ir embora! Ela começou a gritar. Você nem é capaz de olhar na minha cara, não é?
Então ela reparou na foto do bebê sobre a cama e pegou-a.
Ele olhou para ela, que esfregou os olhos e fitou-o, antes de se virar e voltar para a sala.
Traga isso aqui, disse ele.
Pegue suas coisas e vá embora de uma vez, disse ela.
(Raymond Carver, *Mecânica popular*)[23]

- Elimina-se o travessão e a mudança de uma linha para outra. Percebemos qual personagem está falando pelo tempo verbal que cada um deles emprega:

Não, não me incomoda, respondeu César, amaldiçoando in pectore *seu destino, o que esta desgraça humana quer comigo,*

por que vem agora encher minha paciência. Porque nós dois somos os únicos diretores que não foram hoje à sala de Moton, respondeu a si mesmo de imediato. Não convocaram você para a reunião?, estava Matía lhe perguntando. Claro que não, respondeu César, irritado. A mim também não, disse o outro em voz baixa.
(Rosa Montero, *Amado amo*)

- Substitui-se o travessão pelo uso da letra maiúscula. Cada personagem inicia sua intervenção desta forma:

O médico disse, As ordens que acabamos de ouvir não deixam dúvidas, estamos isolados, mais isolados do que provavelmente já alguém esteve, e sem esperança de que possamos sair daqui antes que se descubra o remédio para a doença, Eu conheço a sua voz, disse a rapariga dos óculos escuros, Sou médico, médico oftalmologista, É o médico que eu consultei ontem, é a sua voz, Sim, e você, quem é, Tinha uma conjuntivite, suponho que ainda cá está, mas agora, cega por cega, já não deve ter importância, E esse pequeno que está consigo, Não é meu, eu não tenho filhos [...]
(José Saramago, *Ensaio sobre a cegueira*)**

- Sem travessões, nem espaços, nem mudanças de linhas. Os personagens que intervêm são identificáveis graças à habilidade narrativa do escritor:

Opção a
Note no texto a seguir o uso do pretérito perfeito simples (*capturou*) por parte do narrador, em contraste com o uso do presente do indicativo (*escreve*) e do pretérito perfeito *(escrevemos)* pelos personagens:
Você escreve poesia?, perguntou Natália. Atualmente com três amigos meus, escrevemos um "Manifesto". Em castelhano? Sim, em castelhano, Márius não capturou o sentido da pergunta, e lendo Verlaine, Rimbaud, Baudelaire... De que fala esse "Manifesto" de vocês? De literatura, de que todas as fórmulas poéticas usadas até agora já estão superadas. Precisamos acabar com essa história de poesia social e poesia política.
(Montserrat Roig, *Tempo de cerejas*)*

Opção b

Pai, disse eu, o que é que estás a fazer aqui, na pensão Isadora, vestido de marinheiro? O que é que estás tu aqui a fazer, replicou ele, estamos em 1932, eu estou a fazer o serviço militar e o meu barco chegou hoje a Lisboa, o meu barco chama-se Filisberto, *é uma fragata. Mas por que é que me estás a falar em português, pai?, disse eu, e por que é que me apareces sempre com perguntas absurdas?*

(Antonio Tabucchi, *Requiem*)**

- Colocando os incisos entre parênteses, condensados numa só palavra ou um pouco mais, em que se designa o estado de ânimo do personagem, sem maiores indicações.

Pesquisado: — Será essa uma... não, você disse que não havia nenhuma. Ele levou uma flechada no olho (agressivamente): — Todo mundo sabe disso!

Perguntou-se ao pesquisado o que acontecera depois daquele incidente.

Pesquisado: — Ele morreu. É claro (num ânimo mais conciliador): — Tenho quase certeza de que ele morreu devido àquela flecha [...].

(Julian Barnes, *Inglaterra, Inglaterra*)[24]

5.

Os recursos linguísticos

Para escolher as palavras que iremos usar nos diálogos temos de levar em conta as características dos personagens, o modo como falam e em que circunstâncias.

QUEM FALA

Em primeiro lugar, é primordial adaptar os termos e as construções gramaticais à personalidade dos falantes que queremos definir por meio desse diálogo. Cada personagem deve ter uma linguagem própria, que o caracterize como indivíduo.

> Os diálogos não são mera cópia da linguagem falada.

Em segundo lugar, devemos fazer que os personagens falem determinadas palavras em consonância com determinadas condições que correspondam à linguagem da vida real, mas ao mesmo tempo a ultrapassem. Os textos literários dialogados são recriados a partir da língua falada, da linguagem coloquial numa modalidade oral-conversacional, mas nem por isso devemos tentar copiar o discurso oral. Devemos, sim, respeitar seu ritmo fragmentado, sua falta de linearidade, ou, em termos positivos, o seu zigue-zague, conquistando a fluidez que lhe é própria.

Como disse Adolfo Bioy Casares: "É preciso levar em consideração o tom, a maneira de falar das pessoas e evitar a cópia servil. Creio que fazer assim é muito útil para dar vida aos personagens e facilitar a leitura. A limitação do diálogo impede que o autor tenha de vir à tona a cada momento da narrativa. É um bom sinal não ouvir a voz do autor; tudo soa mais espontâneo".

No entanto, é necessário conhecer as propriedades da linguagem real para não cairmos no extremo oposto e elaborar diálogos falsos ou impossíveis. Normalmente, na vida real, os falantes se interrompem uns aos outros, superpõem suas palavras, surgem lapsos de silêncio ou fazem gestos em lugar de palavras. Há frases inconclusas, outros tipos de discurso se misturam ao discurso cotidiano e trivial.

De igual forma, um diálogo narrativo pode incluir hesitações, rupturas, mudanças bruscas de assunto, interrupções, elementos de caráter fático, imprecisões. À medida que as palavras fluem, podem ser cortadas por lembranças, alterações anímicas, observações paralelas, etc.

Exemplo:

— É você, Michael. De repente você ficou impetuoso demais. Você não está dizendo aqui nada de especial.

— Bem, Brahms está me dizendo para ser expressivo.

— Onde? — Piers pergunta, como se estivesse falando com uma criança idiota. — Diga-me exatamente onde.

— Compasso quinze.

— Não tenho nada disso aqui.

— Azar — digo eu, cortante. O olhar de Piers para a minha partitura é de descrença.

— Rebecca vai se casar com Stuart — Helen disse.

— O quê? — disse Piers, perdendo a concentração. — Você está de brincadeira!

(Vikram Seth, *Uma música constante*)*

> Para criar cenas com exatidão e originalidade, depois de selecionar e filtrar matéria-prima a partir das diferentes conversas que escutamos no dia a dia, devemos descobrir o que os personagens pretendem dizer, uma vez que já os observamos bastante em nossa imaginação.

COMO FALA

Na ficção não há espaço para frases que não sejam significativas. Mesmo a conversa mais banal e intranscendente deve mostrar alguma coisa a respeito dos personagens.

Cada personagem tem um tipo de expressão verbal que lhe é específico e uma organização do discurso que pode manter-se ao longo de todo o relato ou alterar-se.

Uma voz que fala numa narrativa é ao mesmo tempo uma forma de ser, encarnada num repertório de recursos linguísticos, num modo de usar esses recursos, numa atitude perante a palavra, etc. Nossos personagens devem se expressar na fala de acordo com o seu papel na história.

A acertada seleção linguística permite a construção de diálogos sugestivos, que dizem mais do que parece à primeira vista: o uso do diminutivo, por exemplo, indica um temperamento afetuoso; a hipérbole, o exagero, mostra uma tendência à fantasia ou à prodigalidade; a metáfora, dependendo de qual seja, determina a pertença do personagem a esta ou àquela condição social.

Exemplo:
— Abbot e Bessie, acredito que dei ordens para que Jane Eyre fosse deixada no quarto vermelho até que eu mesma viesse vê-la.
— A srta. Jane gritou tão alto, senhora — suplicou Bessie.
— Solte-a — foi a única resposta. — Solte a mão de Bessie, menina: você não vai conseguir sair por esses meios, tenha certeza. Eu abomino fingimento, especialmente em crianças; é meu dever lhe mostrar que truques não adiantam; você vai ficar aqui uma hora a mais, e é só sob a condição de perfeita submissão e silêncio que vou então liberá-la.
(Charlotte Brontë, *Jane Eyre*)[25]

> O bom diálogo depende do ajuste perfeito entre o que o falante diz e o motivo pelo qual diz essas palavras. Para tanto, o escritor deve ter em mente a intenção que leva o personagem a dizer o que diz.

MODISMOS VERBAIS

Em princípio, uma vez que existem modismos verbais e vocabulário vinculados a uma profissão ou forma de viver, temos de nos informar sobre termos específicos, o léxico e a sintaxe, enfim, sobre o modo de expressar-se do personagem, para que ele ganhe vida e não cometamos deslizes que tornem o nosso relato menos confiável.

Os personagens com menos escolaridade utilizarão frases mais curtas, unidas por conjunções coordenadas. Raramente empregarão orações subordinadas. Sua tendência será usar exclusivamente o modo indicativo, e é possível que venham a transgredir algumas regras da norma culta, dizendo "nós vai ver os menino" em lugar de "vamos ver os meninos", por exemplo. Seu vocabulário será mais limitado, e com certa frequência utilizarão no meio de suas frases uma série de muletas verbais e interjeições. Pelo contrário, se os falantes forem eruditos, sua fala será mais pomposa e mais precisa. Usarão os termos próprios de sua profissão, seu vocabulário será mais amplo e obedecerão às regras gramaticais vigentes.

Se numa conversação surge um personagem falando com sotaque, por ser estrangeiro, ou com algum problema de fala (gagueira, por exemplo), estas diferenças permitirão que se criem novos conflitos e cenas que reconduzirão o relato, cujo desenvolvimento a partir de então seria outro, caso não se dessem essas particularidades.

O modo de falar pode indicar a origem do personagem e permitir o desenrolar de novas cenas.

GÍRIAS

O caso das gírias usadas por grupos marginalizados é um pouco mais complicado. Dizia Raymond Chandler que só existem dois tipos de gírias aceitáveis para o escritor: "o *slang* que já existe na linguagem e o *slang* que você inventa. O restante deixará de ser moda antes de chegar ao uso da imprensa". E acrescentava: "Tive de aprender o inglês norte-americano como se fosse um idioma estrangeiro. E para aprendê-lo tive que estudá-lo e analisá-lo. Como resultado, toda vez que uso *slang*, coloquialismos, linguagem maliciosa ou qualquer outro tipo de linguagem não convencional, faço-o de modo deliberado e consciente".

Um exemplo perfeito de gírias inventadas é o livro *Laranja mecânica*, em que o autor, partindo do vocabulário russo, cria o *nadsat*, vocabulário dos adolescentes baderneiros do romance. Anthony Burgess introduz tão bem o *nadsat* em sua narrativa, de forma tão natural e com um contexto tão esclarecedor, que o leitor nem precisa consultar o glossário que vem em algumas edições do livro.

Podemos usar modismos verbais e gírias selecionando as palavras mais representativas, a fim de que o leitor identifique a fala particular do personagem. Mas é preciso dosá-las, ou o diálogo perderá a naturalidade.

A EXPRESSÃO ADEQUADA

Para que as expressões adquiram a força que o relato exige, é necessário conhecer profundamente o material com que trabalhamos e a personalidade dos nossos personagens. Em geral, costumamos identificar uma pessoa conhecida pela entonação, pelo timbre de voz, por sua forma de organizar e articular as palavras e pelo tipo de linguagem que usa. O mesmo deverá acontecer com cada personagem de um relato, a partir de suas falas. O diálogo permite:

- *Definir sua personalidade e suas intenções como consequência de suas palavras.*

Exemplo:
Em *Madame Bovary*, de Gustave Flaubert,[26] o diálogo entre Emma e o padre define a personagem como uma mulher que busca consolo sem o encontrar e o sacerdote como alguém com uma visão muito limitada.

A este respeito, diz Flaubert numa de suas cartas:

> Finalmente começo a ver um pouco melhor o meu sagrado diálogo com o padre. [...] Esta é a situação que quero apresentar: a mulher, num acesso de fervor religioso, vai à igreja. À porta, ela encontra o padre que, no diálogo (sem um tema determinado), mostra-se tão estúpido, medíocre, inepto, torpe, que ela vai embora aborrecida e com a devoção perdida. E o meu padre é um homem bom, diria até mesmo excelente. Mas está muito preso ao aspecto material (os sofrimentos dos pobres, a falta de alimento e de lenha para o fogo) e não se dá conta dos problemas morais, as vagas aspirações místicas; ele é castíssimo e cumpre todos os seus deveres.

— Como vai a senhora? — acrescentou.
— Mal — Emma respondeu. — Estou sofrendo.
— Pois bem, eu também — prosseguiu o eclesiástico. — Esses primeiros calores amolecem a gente de forma surpreendente, não é? Enfim, o que a senhora quer? Nascemos para sofrer, como diz São Paulo. Mas o sr. Bovary, o que acha disso?
— Ele? — perguntou ela com um gesto de desprezo.
— O quê? — replicou o velhote todo surpreso. — Ele não lhe receita medicamento algum?
— Ah! — exclamou Emma. — Não é dos remédios da terra que preciso.

- *Diferenciar os personagens e indicar as relações existentes entre eles.*

É necessário, e o diálogo o permite, que escrevamos diálogos com um discurso capaz de diferenciar os personagens entre si e estabelecer o tipo de relações que há entre eles de um modo ágil e significativo. A caracterização que se faz numa cena pode manter-se durante todo o romance ou transformar-se em cenas anteriores ou posteriores.

Exemplo 1:
No trecho abaixo, o contraste intelectual entre os personagens é evidente:
— Vamos ver, Lucía: você sabe bem o que é a unidade?
— O meu nome é Lucía, mas você não tem de me chamar assim — disse a Maga. — Claro que sei o que é a unidade. Você queria dizer que tudo se junta na sua vida para que possa ver tudo ao mesmo tempo, não é?
— Mais ou menos — concedeu Oliveira. — É incrível a dificuldade que você tem para captar as noções abstratas. Unidade, pluralidade... Você não é capaz de sentir tudo isso sem recorrer a exemplos... Não, não é capaz. Enfim, vamos ver: a sua vida, por exemplo, será uma unidade, para você?
— Não, não creio. São pedaços, coisas que me foram acontecendo.
— Mas você, por sua vez, passava por estas coisas da mesma forma com o cordão que tem no pescoço passa por essas contas verdes. E, já que falamos de contas, de onde veio esse colar?
— Foi Ossip quem me deu — informou a Maga. — Era da mãe dele, a mãe que tinha em Odessa.
(Julio Cortázar, *O jogo da amarelinha*)[27]

Observação:
Ele analisa intelectualmente ("as noções abstratas"), e ela precisa do conhecimento corporal, precisa viver para entender. A relação entre os dois: Oliveira se comporta como o dono do saber e quer ensinar a ela ("concedeu", "Não, não é capaz"). A Maga escuta, mas não abandona sua forma de abordar o mundo.

Exemplo 2:
No próximo texto, nota-se o modo diferente de pensar de dois personagens. Ela é mais contundente, e ele é mais indignado e cético.
— Tem muito carro esta noite — disse Edith.
Ele disse:
— Não haveria tantos carros se a gente tivesse chegado na hora.
— Teria muito carro do mesmo jeito. A diferença é que a gente não ia ver os carros. — Deu um puxãozinho na manga do paletó dele, brincando.

Ele disse:
— Edith, se a gente vai jogar bingo, a gente precisa chegar aqui na hora.
— Psiu — disse Edith Packer.
Ele achou uma vaga para estacionar e a ocupou. Desligou o motor e desligou os faróis. Falou:
— Não sei se estou me sentindo com sorte esta noite. Acho que me senti com sorte na hora em que estava fechando as contas dos impostos do Howard. Mas agora acho que não estou me sentindo com sorte. Não é sinal de sorte se a gente, de cara, tem que andar meio quilômetro só para jogar bingo.
— Fique colado em mim — disse Edith Packer. — Vai se sentir com sorte.
— Ainda não estou me sentindo com sorte — disse James. — Feche a sua porta.
(Raymond Carver, *Depois do jeans*)[28]

Observação:
Podemos retratar um personagem com uma única palavra. A interjeição para fazer o outro calar ("psiu") e o verbo no modo imperativo ("fique") no exemplo acima mostram uma Edith enérgica perante um James indeciso.

6.

O personagem se revela

O personagem fala para revelar-se. O diálogo deve mostrar os personagens de modo que o leitor possa chegar a conhecê-los por sua forma de expressar-se. Nesse sentido, o escritor coloca-se na pele de cada personagem, distanciando-se de suas próprias reações e experiências, deixando que eles sejam o que são e fazendo-os falar de acordo com sua própria personalidade e caráter, suas virtudes e defeitos, suas realizações e desejos.

A VOZ IDENTIFICADA

Quando ouve um personagem num diálogo, o leitor deve ter a possibilidade de identificá-lo imediatamente, com base apenas na voz, sem a ajuda de qualquer explicação que o narrador pudesse proporcionar. No livro *Os Buddenbrooks*, de Thomas Mann, os personagens são em geral reconhecíveis pelos modismos verbais e manias: um recorre a frases em francês, outro pigarreia — "a-hem-hem" — e outro repete com frequência "ah-ah!".

Flaubert sofria para criar uma voz que identificasse cada personagem. E observa o escritor Antonio Muñoz Molina:

> Ele fala que seus personagens, seus rostos ou a personalidade de cada um não consistem numa transcrição do natural, aliás, impossível. Repete-se aqui uma lei que já enunciamos: a naturalidade ou a verdade do relato decorrem do máximo artifício, síntese da atenção — a do ouvido, neste caso —, da seleção e da combinação dos traços mais significativos, como fazem os desenhistas que definem um rosto com duas ou três linhas. Mas o artifício, ou a técnica, é, de novo, consequência de algo anterior, muito mais importante e fundamental: a capacidade que o escritor deve ter para se converter em outro, abdicando do seu ponto de vista privilegiado e central, assumindo a vida de seus personagens, como o califa Harun al-Rashid quando saía à noite, de seu palácio em Bagdá, para buscar aventuras e histórias nas ruas e mercados. Para saber como Madame Bovary falava era preciso que Flaubert se encarnasse nela enquanto escrevia.

A VOZ ÚNICA

Depois de decidir o nome do personagem, é necessário lhe outorgar uma voz. Cada um de nós tem uma voz única, como inimitáveis são nossas impressões digitais. O mesmo deve acontecer com nossos personagens. A voz pode ser autoritária ou submissa, suave ou estridente, lenta ou rápida, triste ou alegre, ativa ou depressiva, regional, estrangeira, hesitante, sinuosa, melódica...

Quando nossos personagens precisam falar num diálogo, devemos trabalhar da seguinte forma:

a. Imaginar essa voz num momento preciso.
b. Ouvi-la mentalmente, dizendo essas palavras.
c. Perguntar-nos se o tom e o timbre dessa voz serão sempre iguais.
d. Se houver alteração, repetir a mesma pergunta com relação às mudanças.
e. Imaginar como um personagem reagirá perante os outros, levando em conta a relação que possui com cada um. Ainda que a voz de um personagem seja sempre a mesma, não falará sempre no mesmo tom (a menos que seja este o objetivo).

Praticar esse método ajuda-nos a conhecer o personagem. Uma vez acostumados a "ouvi-lo", encontraremos a inflexão, as reações e a sua forma de falar corretos. Mais ainda, não nos esqueceremos, ao longo do relato, qual a impressão que desejávamos dar ao leitor nem ocorrerá que a personalidade do personagem se transforme à nossa revelia.

VÁRIAS VOZES

Os escritores principiantes costumam usar interlocutores em excesso no mesmo diálogo, recurso típico e necessário no teatro, mas que no romance ou no conto se torna demasiadamente trabalhoso. Se a conversação entre dois personagens já acarreta dificuldades, com três ou quarto participantes essas dificuldades se multiplicam. Os riscos mais comuns neste caso são os seguintes:

- *Cada personagem traz sua carga de informações e converte o diálogo num conjunto de monólogos.*
- *Chega a hora em que o escritor se perde e já não sabe quem está falando de fato. Ou, se sabe, não é capaz de apresentá-lo claramente ao leitor e, então, acaba se perdendo.*

No caso do relato humorístico, pode tornar-se um bom caminho.

Exemplo:
O jovem soltou uma gargalhada que foi acompanhada por dezoito irmãos.
— A torre de Pisa! — exclamou o rapaz. — Nós? Nobres? Agora entendi! Você pode ser nobre, mas minha mãe era lavadeira de Vercelli.
— E a minha, uma criada em Ravena — disse um terceiro.
— E a minha uma cortesã de Veneza...
— E a minha também — exclamaram então os outros quinze filhos naturais.
(Enrique Jardiel Poncela, *Espera por mim na Sibéria, minha querida!*)*

> É preciso ter cautela no uso de várias vozes. É comum cair na confusão ou desorientar o leitor, se não forem devidamente administradas.

UMA ETAPA A CUMPRIR

Para elaborar diálogos coerentes com os personagens em questão, podemos confeccionar uma ficha para cada um deles, contendo o maior número possível de informações (manias, idade, traços físicos, sentimentos, caráter, comportamento na infância, profissão, situação social, etc.), e depois deixar que ele fale de acordo com esses dados. Por exemplo, se uma das características do personagem é a "arrogância", não diria uma frase como "por favor, ficaria grato se me você me trouxesse...", mas o faria de um modo direto e sem consideração pelo outro. Se na ficha disse também que o personagem "odeia as mulheres, embora tente esconder este sentimento", teremos mais elementos para fazer com que fale de um modo bem diferente se não conhecêssemos essa sua característica.

DIZER E SER

O que se pode depreender dos personagens a partir de um diálogo?

Se o diálogo está bem feito, pode-se caracterizar cada personagem sem necessidade de empregar outros recursos.

Cada personagem se expressa e, expressando-se, desmascara-se e desmascara o interlocutor. Ou seja, de acordo com a maneira de expressar-se, com a forma de ouvir e responder, assim serão os que estiverem na conversação. Porém é sempre bom recordar que num diálogo há conflitos, discórdia, mal-entendidos, argumentos sutis, etc. Em suma, não se trata de dois ou mais monólogos que se alternam. Quando fazemos nossos personagens falarem, devemos levar em conta que o objetivo é sabermos mais sobre eles e sobre a narrativa.

O IDIOLETO

O idioleto, ou seja, o modo particular de cada indivíduo empregar a linguagem, constitui-se de uma série de palavras e modismos que cada pessoa utiliza com maior frequência ao falar. Podemos fazer uma lista, uma espécie de vocabulário pessoal para cada personagem, que vamos consultar sempre que necessário. Não convém, contudo, abusar desse recurso para não cair num jogo caricato. Trata-se de um recurso que, por vezes de modo exagerado, é muito comum nas séries de televisão.

DE QUE MUNDO ELE VEM

O diálogo pode refletir diferentes aspectos do personagem: a geração a que pertence, o nível sociocultural, sua vida emocional.

Nível geracional

Um homem de 80 anos de idade não se expressa da mesma forma que uma mulher de 40 anos ou um jovem de 18. Nos discursos de cada personagem, essa diferença geracional deverá ficar bem nítida para o leitor.

Exemplo:

— *Garotos, o que está acontecendo? Vocês viram a partida, camaradas? — pergunta.*

— *Uma merda de time. Todos os onze são uma perfeita merda — disse Roberto.*

— *Acabaram com o meu banho na Cibeles, camarada. Se isto continuar assim, vou virar Atlético. Ora, o que mais vocês querem?*(*)

(José Ángel Mañas, *Histórias do Kronen*)*

(*) Os torcedores do Real Madrid costumam celebrar as vitórias do time na Praça Cibeles (Madri), onde há uma fonte em que alguns entram para tomar "banho". "Acabar com o banho na Cibeles" significa dizer que o time perdeu e não há o que comemorar. "Virar Atlético" é mudar de time; no caso do personagem, seria tornar-se torcedor do Atlético de Madri.

Nível sociocultural

Cada personagem deve falar como falam no meio sociocultural a que ele pertence. O léxico de um advogado será diferente do de um porteiro de prédio.

Exemplo 1:

Um padre falando, no romance *A mulher do regente*, de Leopoldo Alas:*

— Na igreja, algo há que impõe reserva, que impede a análise de pontos muito interessantes; sempre temos pressa, e eu... não posso prescindir do meu caráter de juiz, sem faltar ao meu dever naquele local. A senhora mesma não fala ali com a liberdade e duração que seriam necessárias para que entendêssemos o que deseja comunicar.

Exemplo 2:

Fala uma empregada, no romance de Laura Esquivel *Como água para chocolate:**

— É quiú Felipe está aqui e diz que o mininu empacotou!

— O que você está dizendo? Quem morreu?

— O mininu!

— Que menino?

— Quiú mininu ia ser! O seu neto, tudo o que ele comia caía mal e acabou empacotando!

Nível emocional

No nível emocional podemos incluir os níveis anteriores, sempre e na medida em que o personagem, ao falar, expresse algum sentimento.

Exemplo:

No romance *Doutor Jivago*, de Boris Pasternak,[31] dois personagens falam, um expressando ódio e o outro, medo:

— Veja como você segura a lima, seu fedelho vesgo — gritava Khudoleev, arrastando Iusupka pelos cabelos e batendo com a bengala em seu pescoço. — É assim que se funde? Estou falando com você, vai ficar aqui estragando o meu trabalho? Seu vagabundo tártaro de olho puxado!

— Ai, não vou, não, senhor, ai, não vou, ai, está doendo!

— Já lhe disseram mil vezes: primeiro coloque o cabeçote e depois aparafuse o apoio, mas você continua fazendo do seu jeito. Quase quebrou o eixo, filho da puta.

— Nem toquei no eixo, senhor, juro por Deus, não mexi.

O SENTIDO DE SUAS PALAVRAS

Além disso, na hora de caracterizar os personagens de acordo com seu modo de falar, é preciso levar em conta o sentido de suas palavras. Podem falar da mesma maneira, com o mesmo tipo de vocabulário e a mesma organização linguística, mas opinar de modo diferente, e isso os definirá.

Nesse sentido, dependendo do modo como nossos personagens abordam um assunto, poderemos deduzir qual é sua personalidade, que manias têm e todos os aspectos que os caracterizam. O objetivo principal é que cada personagem seja reconhecível pelo modo como se expressa. Devemos, portanto, saber o que pretendemos de cada personagem, saber quem ele é e como é antes de lhe dar uma voz. O resultado de uma boa escolha serão vozes que nos permitirão não apenas conhecê-los, mas reconhecê-los em qualquer momento da narrativa.

Podemos trabalhar vários aspectos mediante o diálogo:

A maneira de pensar

O diálogo permite mostrar o modo de pensar de cada falante sobre determinados assuntos.

Exemplo:

Temos dois personagens que concordam que é preciso comer menos carne e se expressam da seguinte forma:

— *O mundo precisa de temperança. Sobretudo de temperança e solidariedade. Cuidar da Terra, que tem sofrido tantas violências, e no final quem sofre é o nosso corpo.*

— *Sem dúvida, é o nosso pobre corpo que depois se enche de colesterol e fica todo flácido. Fazer bem a si mesma é fazer bem ao próximo, penso eu. E se uma mulher tem um corpo bonito, os que a admiram se sentirão felizes.*

Os dois falam sobre o mesmo tema, mas não dizem a mesma coisa. O primeiro fala do ponto de vista ecológico. A segunda fala dos possíveis benefícios de ter um corpo atraente. Podemos, assim, detectar as diferenças entre os personagens.

Um temperamento

Reforçar a resposta temperamental do falante mediante o diálogo nos permite construir uma personalidade.

Exemplo:
Hora de contra-atacar. Prados me apontou com o dedo.
— E você, quem é? Hein? Diz aí. Eu sou um fracassado, mas você nem isso é. Um morto de fome, um bêbado que nem prazer encontra mais na bebida. Um gringo de merda.
(Tino Pertierra, *Toda a verdade sobre as mentiras dos homens*)*

A forma de agir

Determinada atitude ou forma de reagir diante da mesma situação podem marcar um modo de estar no mundo.

Exemplo:
— E como há de ser a assinatura? — disse Sancho.
— As cartas de Amadis nunca foram assinadas — respondeu Dom Quixote.
— Está bem — replicou Sancho —; mas a ordem para os três burricos por força que há de ser assinada e, se essa assinatura se copia, dirão que é falsa e ficaremos sem burrinhos.
(Miguel de Cervantes, *Dom Quixote de la Mancha*)[30]

A expressão ou a ausência dos sentimentos

Exemplo:

No já citado romance *Como água para chocolate,** o personagem demonstra, por meio de sua fala, que o cumprimento do dever lhe interessa mais do que as emoções:
— Senta para trabalhar! E não quero lágrimas. Pobre criatura, espero que o Senhor o tenha em sua glória, mas não podemos deixar que a tristeza tome conta da gente, pois há muito o que fazer. Primeiro terminas e depois podes fazer o que quiseres, menos chorar, ouviste?

A FICHA E O ESQUEMA DOS RELACIONAMENTOS

O diálogo é verossímil? Perguntar-se sobre a credibilidade do diálogo é uma questão de absoluta importância, condição essencial na elaboração do mundo ficcional que o contém, porque, se os discursos dos personagens não forem confiáveis, o leitor se decepcionará com o romance. Nesse sentido, devemos considerar fundamental o controle de dois aspectos:

- *Os discursos individuais*

A pergunta básica, anterior à criação dos diálogos, é: "como

meu personagem falaria?". Uma voz incorpora uma determinada visão de mundo e um repertório de recursos linguísticos. Para tanto, convém ter consciência clara do quanto a fala do personagem depende de sua profissão, idade, origem, experiências, objetivos e situação que vive a cada episódio.
Escritos os discursos, a melhor forma de comprovar se estão coerentes com a realidade do falante é consultar a ficha com as características do personagem e o esquema dos relacionamentos entre os personagens, com o qual deduziremos o que cada um deve dizer ao outro.

- *A troca de discursos entre dois ou mais personagens*

Trata-se de saber com clareza o que um personagem pode e deve dizer aos outros.

> Para que os personagens sejam autênticos, é preciso escrever do ponto de vista deles, respeitando-os como entidades autônomas, sem que nossas possíveis reações ou nosso sistema pessoal de pensamento se tornem um obstáculo.

A VOZ DOS PERSONAGENS SECUNDÁRIOS

Como conseguir que os demais personagens (os secundários e com poucas intervenções faladas) se tornem visíveis e fáceis de reconhecer?

Podemos recorrer a particularidades provenientes da principal característica do personagem em questão, como o uso de palavras pomposas, ou as reduções fonéticas típicas na fala das crianças pequenas, etc.

O INTERLOCUTOR

Para que o leitor capte a história e se interesse em acompanhá-la até o fim, devemos justificar a presença de um locutor mas também a do receptor: o interlocutor. Mais ainda, o vínculo entre os interlocutores deve mostrar ao leitor que esses outros personagens são os mais apropriados para construir a cena de que participam, seja a sua intervenção muito breve ou prolongada.

A escolha de um interlocutor deve ser:

a. De caráter geral: ditada pelas necessidades externas, pela situação e pelo tema. Neste plano, o interlocutor pode estar presente, ausente ou permanecer mudo.
b. De caráter específico: ditada pelas necessidades internas, específicas desse diálogo único, no qual será ele a intervir e não outro.

Um falante se dirige a um interlocutor com uma determinada intenção; o interlocutor lhe responde também de diversos modos, chamando mais ou menos a atenção.

A intenção do falante

Pode informar, tentar convencer, insinuar, desmentir, afirmar, negar, perguntar, etc. Além disso, essa intenção pode ter uma carga emocional maior ou menor que, acrescentada à resposta, cria uma atmosfera para o relato naquele momento.

Muitos escritores, para facilitarem sua tarefa, compõem um quadro de intenções e suas correspondentes manifestações em termos linguísticos:

Intenções do personagem	Discurso apropriado
Mentir, dissimular	Meloso, melífluo Muitos adjetivos Preciso, se sabe ou não se sabe

O interlocutor omitido

Pode-se escrever um diálogo com um locutor presente e um interlocutor ausente, mas sugerido, que é percebido ou conhecido pelas referências que o fala dá a respeito dele. Graças às palavras de uma das partes, o leitor imagina com perfeição as respostas ou comentários da outra, que podem ser indicados com ou sem sinais explícitos.

Exemplo:

O discurso omitido é indicado por meio de reticências.

... Espero que não a tenha perturbado, madame. A senhora não estava dormindo, estava? Mas acabei de dar o chá para minha patroa, e sobrou uma xícara tão gostosa, que pensei, talvez...

... Não, absolutamente, madame. Sempre preparo uma xícara de chá no final. Ela bebe na cama após suas rezas, para se aquecer. Ponho a chaleira no fogo quando ela se ajoelha e digo para ela: "Agora não precisa rezar depressa demais". Mas sempre ferve antes que minha patroa não chegue nem à metade. Sabe, madame, conhecemos tantas pessoas, e todas precisam de preces — todas. Minha patroa mantém uma lista de nomes num livrinho vermelho. ... Quando terminei de a cobrir e vi — a vi deitada, as mãos para fora e a cabeça no travesseiro — tão bonitinha — não pude deixar de pensar: — Agora você parece exatamente como sua querida mãe quando eu a deitava!
(Katherine Mansfield, *A empregada de madame*)[32]

7.

Diálogo ou narrador?

Entre as vozes da narrativa, o diálogo é a que dá maior autonomia e independência aos personagens.

Afinal, qual o vínculo entre o narrador (a voz que faz o relato) e essa espécie de mudança no ritmo da narração que o diálogo opera? Coordenar e estabelecer um equilíbrio entre a voz do narrador e os diálogos é um aspecto que não podemos evitar. O narrador também está presente quando são os personagens que falam diretamente num relato?

QUEM TEM O PODER DENTRO DO TEXTO

As relações entre vozes faladas e a voz do narrador são diferentes, dependendo do tipo de narrador que temos. Os dois extremos possíveis são:

a. um narrador envolvido na própria história, que participa da ação como sujeito ou como reflexo, e cuja consciência está unida ao desenvolvimento dos acontecimento.
b. um narrador não envolvido na situação.

No primeiro caso, temos um narrador protagonista que participa inclusive dos diálogos. No segundo, uma testemunha que não faz nenhuma intervenção.

Se o diálogo é apresentado por uma testemunha, poderá estar a menor ou maior distância dos interlocutores, ouvir menos ou mais, saber menos ou mais.

Dizia o escritor inglês Ford Madox Ford a propósito da preocupação que Joseph Conrad tinha com os diálogos:

> Ou se faz um relato diretamente, como narrador (o que é mais difícil), ou pela boca de um personagem (o que é mais fácil mas ao mesmo tempo mais trabalhoso). Seja como for, temos de enfrentar o problema: narrar ou escrever diálogos. [...] O máximo que uma pessoa normal consegue lembrar depois de ouvir uma longa conversação são uma ou duas frases mais significativas [...]. Uma regra imutável para compor diálogos genuínos (e não interrogatórios ou declarações de fato) é que nenhuma fala de um personagem deveria ser a mera resposta ao que outro personagem disse antes. No caso da vida real, pouquíssimas pessoas ouvem os outros; estão sempre preparando o que vão dizer à pessoa

que também não as ouve. [...] Mas, no conjunto, o método indireto, com interrupções constantes, de criar diálogos é de valor inestimável para dar uma sensação do que há na vida de complexo, terrível, resplandecente e nebuloso.

O GRAU DE INTERVENÇÃO

O narrador pode realizar uma intervenção maior ou menor na história. Convém distinguir onde recai o peso do significado e procurar o equilíbrio necessário para a intriga que desejamos elaborar.

Vejamos o seguinte exemplo:
— Vim me despedir — disse Amália.

É bem diferente deste outro:
— Vim me despedir — disse Amália, intuindo que o marido não falaria de seus sentimentos, nem mesmo perante a iminente partida.

No segundo exemplo, o possível problema a analisar é que o narrador rebaixa a importância do diálogo e pode convertê-lo em mera ilustração da história. Se o tratamento escolhido é o diálogo, o narrador deve ocultar-se (e o escritor também). Não devem fazer comentários ou dar opiniões. Cabe-lhes a discrição. Ou seja, empregar uma voz narrativa psicologista que fale dos personagens à margem do que eles pretendem mostrar gera um desequilíbrio dentro do romance ou do conto.

Portanto, devemos nos perguntar se a intensidade da cena, seu sentido, depende das vozes dos personagens ou da voz do narrador, dosando a extensão das intervenções de acordo com a resposta que se obtiver.

> As informações sobre um personagem devem ser dadas através do diálogo com sutileza: não se trata de apresentar a biografia detalhada de ninguém, o que seria maçante e destituído de emoção.

MODALIDADES EM CONTRASTE

Aparentemente, o discurso realizado pelo narrador é mais reflexivo, a linguagem mais "literária"; o diálogo, em contrapartida, possui características da linguagem oral, a sua improvisação, parecendo menos elaborada. Por isso criar diálogos é mais arriscado do que empregar a voz do narrador, mais afeita ao jogo "literário".

Em geral, as duas modalidades são utilizadas.

Neste último caso, os personagens podem falar com o mesmo estilo do narrador, ou cada personagem pode individualizar-se pelas características de seu estilo pessoal, não apenas diferenciando-se do narrador, mas também dos demais personagens.

Seja como for, devemos saber o motivo pelo qual adotamos um ou outro caminho: a opção não deve ser a que prometa maior comodidade, mas a que se demonstre mais adequada para a cena que tencionamos criar, sempre contextualizada na trama total.

O NARRADOR MAIS ADEQUADO

Quando é mais conveniente usar o diálogo e não outro tipo de narrador? Será mais conveniente optar pelo diálogo quando contar os fatos ou dar informações por meio de um narrador se torna muito complicado ou retarda a ação. Caso contrário, pensando em todos os tipos de narradores, o mais adequado seria, então, o protagonista, que relata o que viveu de modo mais direto (em aparência) em lugar de alguém que viu, ouviu dizer, imaginou ou garante saber o que aconteceu. Contudo, mais do que o protagonista sozinho, é o protagonista dialogando com outros personagens que dará dinamismo a certas histórias, às de aventuras, por exemplo, em que o diálogo é ferramenta indispensável.

Vejamos a diferença de um trecho de diálogo do romance *A náusea*, de Jean-Paul Sartre, transformado em prosa narrativa. O texto original é mais ágil, uma descrição nos lábios de um falante num diálogo é mais dinâmica do que quando inserida num texto em prosa:

O texto original:
— O senhor viu o Cristo de pele de animal que está em Burgos? Há um livro muito curioso sobre essas estátuas de pele de animal e até de pele humana. E a Virgem negra? Não está Burgos, está em Saragoça. Mas não há uma em Burgos? Os peregrinos a beijam, não é?

O mesmo texto transformado em prosa:
Há um Cristo de pele em Burgos. Existe um livro muito curioso sobre essas estátuas em pele de animal e até em pele humana. E a Virgem negra está em Burgos ou em Saragoça. Mas supõe-se que haja também uma em Burgos. Os peregrinos a beijam.

COMO EMPREGAR O DIÁLOGO

Ao optar pelo diálogo como um dos mecanismos de nosso relato, devemos decidir também quando será conveniente incluí-lo, quando um personagem deverá falar e quando será a vez de o narrador se manifestar. Assim, dentro da totalidade da narrativa, devemos considerar uma série de aspectos relativos ao diálogo para que o conjunto se mostre significativo:

- *A proporção*

Pode-se utilizar o diálogo como estratégia para articular a estrutura do conjunto em diferentes proporções e em forma muito breve ou extensa: um conto ou um romance podem desenvolver-se parcial ou integralmente em forma de diálogo. Os diálogos podem ser mínimos, como em *Green,* do uruguaio Manuel García Rubio; profusos, como em *Com as mulheres não tem jeito,* do escritor francês Boris Vian; podem aparecer em determinados momentos da trama, como em *Cavalheiros da fortuna,* do romancista espanhol Luís Landero, ou cobrir a totalidade.

- *A distribuição*

Se a sua inclusão é parcial, podem surgir agrupados numa parte do contexto, em certos fragmentos dos capítulos, como ocorre em *Solstício,* de Joyce Carol Oates, ou alternando constantemente diálogo e narrador, que é a forma mais comum.

- *A extensão*

A extensão de um diálogo depende do tipo de participação que cada personagem possui no relato. Os discursos podem ser muito breves (até de uma só palavra) ou bem extensos. A extensão pode caracterizar um personagem. Um bom exemplo é *Carlota Fainberg,* de Antonio Muñoz Molina, romance em que se estabelece um contraste entre o diálogo quase inexistente de um personagem (que é também o narrador e, no máximo, dá respostas muito rápidas) e a copiosa fala do outro (ocupando até mais de duas páginas), mecanismo justificado pelas características da situação na qual o primeiro afirma ser incapaz de relacionar-se com outras pessoas quando está viajando (o diálogo acontece num aeroporto), mas ouve com crescente interesse o relato do segundo, típico conversador que se "confessa" a estranhos em lugares como aeroportos.

> Para comprovar que a trama progride, convém deixar de escrever durante certo tempo e refletir sobre quem deveria contar a história para que o impacto seja maior (um personagem ou um narrador?) e que extensão deve ter cada discurso.

Localizar o tema constitui questão fundamental para uma narrativa e não menos para esse território particular que é o diálogo. A estrutura interna de um diálogo tem como condição prévia a existência de um tema a ser compartilhado, um local onde o conflito se realiza, uma zona de risco. Tanto esse aspecto quanto o local onde os personagens se movem e o tempo em que vivem podem ser definidos pelo diálogo e, ao mesmo tempo, definem o próprio diálogo.

8.

Tema, local e diálogo

CADA SITUAÇÃO IMPLICA UM TEMA

Num diálogo, os personagens costumam falar sobre um tema específico, a partir de certo ângulo de visão ou de pontos de vista diferentes. E assim como os personagens mudam à medida que o diálogo progride, também entre o princípio e o fim do diálogo opera-se uma transformação do tema. Um tema geral inclui subtemas que vão surgindo ao longo da conversação.

Cada situação de um mesmo episódio pode trazer à tona diversos subtemas. Desenvolvê-los implica oferecer ao leitor uma série de informações organizadas de uma forma concreta. Nesse caso, a informação está incorporada nas falas dos personagens e/ou nas observações do narrador. Por exemplo, o tema pode ser o amor e os subtemas a viagem, o encontro, o ciúme, os mal-entendidos, etc.

Convém anotar o tema e os subtemas de cada situação para verificar de quando em quando se a informação transmitida é excessiva ou escassa.

Se nosso diálogo se complementa com a descrição ou o discurso do narrador, devemos saber o quanto a informação proveniente de uns e outros é redundante ou contraditória.

ENFOQUES DO TEMA

O diálogo pode simplesmente informar ou transmitir alguma emoção.

Na situação que precede o diálogo, quando os personagens se posicionam no ambiente e o conflito se anuncia, um narrador pode informar sobre os sentimentos dos personagens, sobre o estado emocional que os domina. Caso contrário, sem essa informação prévia, será necessário dar alguma pista ao leitor, no diálogo, sempre de um modo sutil e confiável.

Assim, o tema do conto ou do romance, vinculado ao enfoque escolhido, exigirá que trabalhemos o diálogo de certa maneira: informando, transmitindo sentimentos ou ambas as possibilidade ao mesmo tempo.

Exemplo 1:

Tema: a figura do detetive. **Enfoque**: policialesco → Transmissão de informação:

— *Quer dizer que o senhor é detetive particular* — *disse ela.* — *E eu que pensava que isso só existisse nos livros. Ou então que eram*

homenzinhos sujos que viviam bisbilhotando nas portas dos hotéis.
[...] *— O que achou do meu pai?*
— Gostei dele — respondi.
— Ele gostava de Rusty. Imagino que o senhor saiba quem seja Rusty, não é?
— Hum-hum.
— Rusty era desbocado e grosso às vezes, mas era boa pessoa. E distraía muito o papai. Rusty não devia ter desaparecido assim sem mais nem menos. Papai está muito chateado, ainda que não diga que está. Ou será que ele disse?
— Ele disse alguma coisa nesse sentido.
— O senhor não é de falar muito, não é, sr. Marlowe? Mas ele quer achá-lo, não quer?
[...] *— Sim e não — respondi.*
— Isso não é resposta. O senhor acha que consegue encontrá-lo?
— Eu não disse que ia tentar. Por que a senhora não fala com o Departamento de Pessoas Desaparecidas? Eles têm toda uma organização. Não é trabalho para um homem sozinho.
(Raymond Chandler, *O sono eterno*)[32]

Exemplo 2:
Tema: a saudade. **Enfoque**: amoroso → Transmissão de sentimentos:
— Você gosta muito dele? — perguntei afinal.
— Não sei. Ele me impacienta. Ele me exaspera. Estou sempre ansiando por sua presença.
(W. Somerset Maugham, *O fio da navalha*)[33]

O ESTEREÓTIPO

Os romances de costumes ou naturalistas, em lugar de apresentarem falas que identifiquem o personagem, apresentam vozes estereotipadas que correspondem aos tipos sociais. Disse Alejo Carpentier:

> O diálogo, para mim, tal como podemos encontrar em qualquer romance realista, é quase sempre artificial e palavroso. O diálogo que escutamos na comédia burguesa do início do século alojou-se na narrativa com suas fórmulas prontas e mecanismos convencionais. A tal pergunta segue logicamente tal resposta; a tal

resposta corresponde uma determinada reação psicológica. As palavras pulam de boca em boca como bolinhas de tênis, e cada um dos jogadores sabe qual a raquetada que produz uma determinada trajetória. Eu aconselharia a seguinte experiência: escondamos o microfone num móvel do qual estejam próximas várias pessoas que conversam despreocupadamente e examinemos depois o resultado, com o relógio na mão. Veremos com surpresa (a não ser que se trate de uma conversa orientada, de um colóquio sobre um assunto em concreto) que nenhum tema abordado se sustenta durante mais de dois ou três minutos. As palavras correm de Ceca a Meca, comandadas pela associação de ideias, em trajetos que por vezes não duram nem trinta segundos. Passa-se com rapidez vertiginosa da doença de um amigo à exposição de cães, à estreia de uma obra, à corrida de cavalos, ao último livro lido, às belezas da filatelia, aos namoricos de fulano, ao acontecimento do dia, à compra vantajosa que se fez numa loja próxima... Mas isso não é tudo. A linguagem falada está marcada por elipses. Os interlocutores só conseguem entender-se com palavras pela metade em virtude do conhecimento que já possuem sobre certos tópicos.
Esses diálogos literários me horrorizam porque não correspondem à realidade.

UM TESTE

Para sabermos se o tema que queremos desenvolver realmente preside à conversação dos personagens, podemos eliminar parte dos discursos, como o faz Enrique Jardiel Poncela em seu *O livro do convalescente** e averiguar se um leitor poderia adivinhar o sentido geral da história, o tema principal:

Naquele mesmo dia, Sherlock Holmes dirigiu-se ao palácio. Atendia ao chamado do prefeito de Londres, Lorde Casemiro Somerset, que lhe pedia para assumir o problema.

O diálogo entre os dois teve a brevidade e a contundência genuinamente inglesas. Tanto o lorde como o detetive eram tão inteligentes que adivinhavam o que cada um ia dizer ao outro, de modo que nenhum deles precisava concluir as suas frases.

Lorde — Meu admirado Holmes: não posso mais admitir...
Sherlock — Certamente. E suponho que fui chamado pa...
Lorde — Isso mesmo. Preciso que você, no prazo de cin...
Sherlock — Antes dessa data terei conse...
Lorde — Comemorarei em nome de toda Lon...
Sherlock — Sim. A cidade está aterro...
Lorde — E com razão, porque isto é inacei...
Sherlock — Concordo. De agora em diante meus...
Lorde — Obri...
Sherlock — Não há de quê.
E Sherlock Holmes deixou o palácio do prefeito de Londres.

O LOCAL

O local em que a conversação ocorre nos permite ambientar a situação, aumentar o clima de expectativa, prometer uma reviravolta ou um acontecimento especial. Pode ser nomeado ou não pelos falantes. Ou seja, podemos saber onde os personagens estão e não comunicá-lo ao leitor ou dar-lhe essa informação durante o próprio diálogo.

Possibilidade a

O local onde os personagens se encontram interfere em suas falas. Mecanismo a levar em conta: a ambientação prepara o diálogo. Um diálogo ao ar livre é diferente de um diálogo em espaço fechado. Se for ao ar livre, o diálogo num jardim será diferente de um diálogo na praia, ou num cemitério. Se for num espaço fechado, o diálogo dentro de um carro será diferente de um diálogo dentro de um quarto de hotel.

Possibilidade b

Explicar em que local a cena acontece através do diálogo. Mecanismo a levar em conta: os locais mencionados pelos personagens podem criar suspense ou prometer algum acontecimento. Se uma estação de trem ou um aeroporto são citados, insinua-se uma despedida ou um encontro; se os personagens se referem a uma prisão ou a uma estrada abandonada, sugere-se uma situação de perigo e mistério.

9.

Ferramenta ou armadilha?

O diálogo, sem sombra de dúvida, é uma ferramenta magnífica para narrar, definir, situar, dramatizar. Como vimos, exerce funções específicas e permite interessantes operações no texto. Devemos ter consciência, porém, que o diálogo pode também gerar complicações e inconvenientes, se usado de modo arbitrário. Muitos relatos escritos por iniciantes costumam apresentar diálogos em que os personagens recitam frases mecânicas ou dão longas explicações que — sobretudo quando o restante da narrativa é bom — enfraquecem o desenvolvimento da ação.

Convém refletir sobre os vários aspectos relacionados à construção, ao tipo de discurso, etc., enumerados abaixo, mas que podem ser resumidos numa única ideia: todo diálogo que possa ser suprimido sem que se alterem o sentido ou o ritmo da narrativa significa que deve realmente ser eliminado.

BENEFÍCIOS

A boa utilização do diálogo permite os seguintes resultados:

- *Confere credibilidade*

Costumamos utilizar o diálogo para tornar a história narrada mais verossímil, na medida em que os próprios personagens, sem nenhum tipo de intermediário, são quem informam a respeito dos fatos.

- *Cria um argumento*

O que uma pessoa diz a outra — o que diz, quando e como o faz — não somente determina o argumento, mas também produz variações.

- *Mostra aspectos particulares dos personagens*

De fato, o que conseguimos com o diálogo é ver os personagens por meio de suas vozes. Portanto, é um método eficaz para torná-los conhecidos sem explicações adicionais.

RISCOS: OS PROBLEMAS MAIS COMUNS

Podemos estabelecer uma classificação atípica de diálogos, tomando por base seus possíveis problemas. No entanto, levemos em conta que um diálogo problemático num determinado contexto poderá ser adequado em outro. O que se aceita como erro ou problema num caso pode ser um grande achado em outro. Os problemas ocorrem, em geral, quando há uma falta de motivação e intencionalidade por parte do personagem.

Os problemas mais habituais são:

- *Diálogo excessivamente literário*

É aquele diálogo pensado como um texto para ser lido, em demasiada dependência das regras gramaticais, ao passo que o diálogo para ser falado baseia-se em coloquialismos, com abundantes incorreções gramaticais. Nenhum dos dois, em estado puro, é aconselhável, a menos que haja uma justificativa suficiente para tanto. Não se recomenda igualmente passar a impressão de um texto muito polido, mas sim que pareça uma conversação espontânea.

- *Diálogo pomposo*

Consiste em empregar uma forma de falar empolada, solene ou própria de uma linguagem burocrática, adequada em determinados ambiente profissionais e que, como no exemplo abaixo, seria apropriada para um personagem cômico ou patético:

— *Rejubila-me dizer-lhe que trouxe este presente porque você se portou muito bem comigo, o que me imunda de emoção.*

- *Diálogo incompleto*

É o diálogo construído com frases curtas que expressam conteúdo mínimo:

— *Sinto frio.*
— *Eu não.*
— *Feche a janela.*
— *É para já.*
— *Obrigado.*
— *Vista um agasalho.*
— *Não trouxe.*
— *Você não quer um dos meus?*

- *Diálogo reiterativo*

Consiste em repetir a mesma ideia ou mensagem de diferentes modos. Só devemos reiterar a informação se for estritamente necessário para enfatizar algum ponto da historia, fixar uma data ou definir um caráter. Caso contrário, a redundância nada acrescenta de novo e dilui a intensidade da narrativa.

- *Diálogo demasiado extenso*

Discursos longos demais. Um relato excessivo cansa o leitor, como no caso de um personagem que explicasse toda a sua biografia e seus problemas detalhadamente.

- *Diálogo indiferenciado*

Personagens que falam de modo idêntico. Não existem diferenças de personalidade. Tal diálogo só se mostraria válido se, por exemplo, a intenção fosse criar um mundo homogêneo numa história de ficção científica.

- *Diálogo inútil*

As falas dos personagens não contribuem para o andamento da história, para a definição de um estado de coisas ou para a solução de um conflito.

- *Diálogo impossível*

Um diálogo artificial, em que parece faltar alguma coisa. Um diálogo que, embora formalmente correto, não parece real. Este problema em geral se deve à ausência de algo que motive a ação do personagem e, em consequência, a intencionalidade do diálogo.

DIÁLOGO ELOQUENTE *VERSUS* DIÁLOGO POBRE

A eloquência é a faculdade de escrever (ou falar) com palavras expressivas, que agradam ou comovem. Elocução é o modo pelo qual se escolhem e distribuem as palavras e pensamentos no discurso.

Obtemos um diálogo eloquente quando, entre outros meios, fazemos uma adequada escolha e distribuição de palavras. Produzimos um diálogo pobre (no qual a eloquência brilha pela ausência) quando, também entre outros fatores, abusamos das palavras, explicamos o que não é necessário explicar, não permitimos que o leitor deduza as características do ambiente, os modos de ser do personagem, não consiga imaginar o que vai acontecer nem perceber a tensão ou a felicidade no ambiente. Em suma, um diálogo pobre nem insinua nem promete nada. O leitor se sente mais entediado do que se estivesse ouvindo duas pessoas falando em voz alta sobre um tema irrelevante.

Exemplo de diálogo eloquente:

— *Que está procurando?*

— As esporas.
— Estão penduradas detrás do armário — disse ela. — Foi você mesmo quem botou lá no sábado passado.
(Gabriel García Márquez, *O veneno da madrugada: a má hora*)[36]

Observação: a informação está sintetizada. Faz-nos perceber que o personagem é um distraído e como é importante o papel da mulher em sua vida. As palavras "esporas" e "armário" são determinantes.

Exemplo de diálogo pobre:
— João, acorde, levante-se da cama ou vai chegar atrasado na escola e perderá a primeira aula.
— Não quero ir à escola.

Observação: não há um processo de síntese. Não oferece nenhuma informação além do óbvio: uma mãe tenta acordar o filho de modo redundante — "acorde" e "levante-se da cama" são informações similares, bem como "vai chegar atrasado na escola" e "perderá a primeira aula" —, e o filho não quer ir à escola.

> Para comover ou manter vivo o interesse do leitor, um diálogo deve ser dinâmico, incluindo dados significativos ou contrastantes entre si.

14 PASSOS

A partir da leitura dos capítulos anteriores podemos distinguir 14 passos concretos para a criação de bons diálogos:

1. Definir a intenção do relato.
2. Fazer fichas completas dos personagens: sabendo quem são eles, saberemos como falam.
3. Decidir se a ambientação prepara o diálogo ou se do diálogo surge a ambientação: saber a causa de nossa escolha.
4. Dosar a informação: não acumular informações importantes na forma de um inventário, de modo explicativo e direto, mas diluí-las ao longo dos diversos discursos.
5. Só pontuar o diálogo com interjeições e interrogações se for realmente necessário.

6. O diálogo deve ser real para nós e verossímil para o leitor.
7. Não recorrer à nossa experiência pessoal, mas à personalidade inventada, que não pertence à realidade e é independente do escritor.
8. Não fazer os personagens dialogarem em vão, por mais tempo do que o episódio requer.
9. Não abusar do verbo "dizer". Limitar o uso dos verbos *dicendi* no estilo direto, sempre que sua eliminação não leve a equívocos.
10. Não informar sobre a biografia dos personagens pelo diálogo, a menos que um dos personagens necessite dessa informação: seria um mecanismo falso, pois os que conversam entre si já sabem, em princípio, quem é o seu interlocutor.
11. Avaliar se, numa cena, faltam diálogos ou há diálogos em excesso.
12. Atenção aos dialetos. Se vamos utilizá-los, é importante garantir que o leitor poderá interpretar corretamente o significado das falas.
13. Intercalar o verbo "dizer" — "eu disse", "ele disse", "ela dizia" — com outros verbos mais precisos, sobretudo quando o personagem faz ou diz algo de um determinado modo.
14. Tentar mostrar as emoções que assaltam o falante, e não simplesmente mencioná-las.

A ADEQUAÇÃO DE UM DIÁLOGO

Escrever diálogos é um ato que flui, e não podemos parar a cada frase para nos perguntar sobre sua adequação. Contudo, é bom saber que perguntas básicas podem ser formuladas, a fim de que estejamos mais conscientes desse ato criativo. Será útil vez por outra repetir alguma dessas perguntas no processo de "dialogar" de um romance.

De onde surge um diálogo? Em primeiro lugar, deparamos com os dialogantes. Em segundo lugar, analisamos e decidimos como será o seu discurso.

Definir os dialogantes

Há dois caminhos principais para chegar ao diálogo:

a. Temos uma ideia, desenvolvemos essa ideia na forma de possíveis discursos que ainda não sabemos a quem atribuir nem como.

Método de invenção (perguntas criativas):
Quem fala, ele ou ela?
O protagonista ou um personagem secundário?
Por que este e não outro?
Em que momento de sua vida?
Quando está em que lugar?

b. Não encontramos o eixo principal, mas intuímos que certo personagem com determinadas características diria algo de determinado modo em dado momento. Talvez precisemos dar uma resposta a nós mesmos e não saibamos fazê-lo. Então colocamos um personagem numa situação ligada à nossa incógnita e observamos como age, fazendo-o falar, perguntar, confessar, etc.

Definir o diálogo

Sabendo quem falará, quando e onde, devemos descobrir o motivo. A resposta a essa questão encontra-se no contexto e na situação: para que o personagem diz aquilo que está dizendo? Se não obtivermos a resposta é porque essa fala possivelmente não seria adequada.

Podemos formular ainda as seguintes perguntas:

a. Tenho um personagem numa situação de conflito. Que palavras ele deve dizer para que a tensão não se dilua? Um discurso breve ou longo? Que tipo de vocabulário: maior número de substantivos ou de verbos?
b. Um personagem de meu relato precisa de determinada informação. Deve perguntar por ela? Obtê-la por acaso? Qual desses mecanismos me oferece maior economia na situação?
c. E quanto a um estado emocional? Outro personagem percebe? E então chama o outro e conta o que percebeu?
d. Um personagem fala e ofende a outro. Como o interlocutor reage? Fica mudo? Ou revida?

As respostas a essas questões dependem do caminho escolhido previamente, que terei definido anteriormente como uma longa estrada ou um atalho, e a que nova situação está vinculado.

Ouvi-lo

Outro modo de comprovar a adequação do diálogo é lê-lo em voz alta. Se nos parece artificial, rebuscado, pouco significativo, impróprio, é melhor escrever um novo, em vez de tentar consertá-lo. Para obtermos um bom diálogo, pulsante e vivo, devemos, em geral, adotar a estratégia de escrevê-lo numa estirada.

Dizer em voz alta a possível fala dos personagens facilita a tarefa, é um bom truque para percebermos como devem se expressar, que palavras não devem usar ou soariam mal aos ouvidos do leitor. Outro truque muito útil é atribuir suas vozes a pessoais reais. Um dos nossos personagens poderá falar como alguém que pertence ao nosso entorno. É aconselhável, porém, misturar traços de diferentes vozes num mesmo personagem.

Por fim, convém fazer uma revisão do diálogo no contexto geral do romance. Se o romance compõe-se de diálogos e prosa narrativa, podemos separar todo o material correspondente ao diálogo, procurando comparar e contrastar os discursos entre si, identificando a coerência entre cada personagem e sua voz e equilibrando o jogo entre diálogo e prosa.

> Um relato — romance ou conto — com uma boa ideia, bem desenvolvida, com uma voz narrativa adequada e descrições impecáveis pode, ainda assim, naufragar, se os seus diálogos forem fracos.

Notas

* Tradução de Gabriel Perissé do original em espanhol.

** Texto original em português.

1. GIDE, André. *Os moedeiros falsos*. Tradução: Mário Laranjeira. São Paulo: Estação Liberdade, 2009, p. 13.
2. MARÍAS, Javier. *Coração tão branco*. Tradução: Eduardo Brandão. São Paulo: Companhia das Letras, 2008, p. 96.
3. KAFKA, Franz. *A metamorfose*. Tradução: Torrieri Guimarães. Rio de Janeiro: Ediouro, 1996, p. 60.
4. PARKER, Dorothy. *Big Loira e outras histórias de Nova York*. Tradução: Ruy Castro. São Paulo: Companhia das Letras, 1987, p. 125.
5. PÉREZ-REVERTE, Arturo. *O clube Dumas*. Tradução: Eduardo Brandão. São Paulo: Martins Fontes, 1995, p. 8-9.
6. FLAUBERT, Gustave. *Madame Bovary*. Tradução: Ilana Heineberg. Porto Alegre: L&PM, 2009, p. 161.
7. PUIG, Manuel. *O beijo da mulher-aranha*. Tradução: Gloria Rodríguez. 16ª ed. Rio de Janeiro: José Olympio, 2003, p. 224-225.
8. RODOREDA, Mercè. *A praça do diamante*. Tradução: Luis Reyes Gil. São Paulo: Planeta, 2003, p. 37-38.
9. CARPENTIER, Alejo. *O recurso do método*. Tradução: Beatriz A. Cannabrava. Rio de Janeiro: Marco Zero, 1984, p. 91-92.
10. VARGAS LLOSA, Mario. *Conversa na catedral*. Tradução: Wladir Dupont. São Paulo: Arx, 2009, p. 127-128.
11. CORTÁZAR, Julio. *Um tal Lucas*. Tradução: Remy Gorga, filho. Rio de Janeiro: Nova Fronteira1982, p. 14.
12. MÁRQUEZ, Gabriel García. *Crônica de uma morte anunciada*. Tradução: Remy Gorga, filho. 19. ed. Rio de Janeiro: Record, 1996, p. 9.
13. SÁBATO, Ernesto. *O túnel*. Tradução: Noelini Souza. São Paulo: Círculo do Livro, s/d., p. 23.
14. BECKETT, Samuel. *Malone morre*. Tradução: Paulo Leminski. São Paulo: Códex, 2004, p. 46.
15. JOYCE, James. *Ulisses*. Tradução: Bernardina da Silveira Pinheiro. Rio de Janeiro: Objetiva, 2005, p. 195.

16. FAULKNER, William. *O som e a fúria*. Tradução: Paulo Henriques Britto. São Paulo: Cosac Naify, 2004, p. 167.
17. CARPENTIER, Alejo. *O cerco*. Tradução: Eliane Zagury. São Paulo: Global, 1988, p. 63.
18. WOOLF, Virginia. *As ondas*. Tradução: Lya Luft. Rio de Janeiro: Nova Fronteira, 1980, p. 8.
19. BRADBURY, Ray. *Fahrenheit 451*. Tradução: Cid Knipel. São Paulo: Globo, 2003, p. 62.
20. BRADBURY, Ray. *Fahrenheit 451*. Tradução: Cid Knipel. São Paulo: Globo, 2003, p. 104.
21. ECO, Umberto. *Pós-escrito a O Nome da Rosa*. Tradução: Letizia Zini Antunes e Álvaro Lorencini. Rio de Janeiro: Nova Fronteira, 1985, p. 28-29.
22. MÁRQUEZ, Gabriel García. *O veneno da madrugada: a má hora*. Tradução: Joel Silveira. Rio de Janeiro: Record, 2006, p. 125-126.
23. CARVER, Raymond. *Mecânica popular*, em: *68 contos*. Tradução: Rubens Figueiredo. São Paulo: Companhia das Letras, 2010, p. 360.
24. BARNES, Julian. *Inglaterra, Inglaterra*. Tradução: Roberto Grey. Rio de Janeiro: Rocco, 2000, p. 82.
25. BRONTË, Charlotte. *Jane Eyre*. Tradução: Lenita Esteves e Almiro Piseta. São Paulo: Paz e Terra, 1996, p. 27.
26. FLAUBERT, Gustave. *Madame Bovary*. Tradução: Ilana Heineberg. Porto Alegre: L&PM, 2009, p. 113.
27. CORTÁZAR, Julio. *O jogo da amarelinha*. Tradução: Fernando de Castro Ferro. 6ª ed. Rio de Janeiro: Civilização Brasileira, 1999, p. 94-95.
28. CARVER, Raymond. *Depois do jeans*, em: *68 contos*. Tradução: Rubens Figueiredo. São Paulo: Companhia das Letras, 2010, p. 319.
29. PASTERNAK, Boris. *Doutor Jivago*. Tradução: Zoia Prestes. Rio de Janeiro: BestBolso, 2008, p. 58-59.
30. CERVANTES, Miguel de. *Dom Quixote de la Mancha*. Tradução: Viscondes de Castilho e Azevedo. São Paulo: Nova Cultural, 2003, p. 160.
31. MANSFIELD, Katherine. *A empregada de madame* em: *A festa ao ar livre e outras histórias*. Tradução: Luiza Lobo. Rio de Janeiro: Ediouro, 1993, p. 199-200.
32. CHANDLER, Raymond. *O sono eterno*. Tradução: Paulo Henriques Britto. São Paulo: Brasiliense, 1985, p. 20.
33. MAUGHAM, W. Somerset. *O fio da navalha*. Tradução: Ligia Junqueira Smith. 2ª ed. São Paulo: Círculo do Livro, 1974, p. 132.
34. MÁRQUEZ, Gabriel García. *O veneno da madrugada: a má hora*. Tradução: Joel Silveira. Rio de Janeiro: Record, 2006, p. 10.

Este livro foi composto com tipografia Minion Pro e Officina Sans
e impresso em papel Off-White 80 g/m² na Formato Artes Gráficas.